Goed verzekerd

GEORGIE DOM EN JAN KLINCKENBERG

GOED
VERZEKERD

1e druk, oktober 2014

Auteurs: Georgie Dom en Jan Klinckenberg
Eindredactie: Vantilt Producties, Nijmegen
Grafische verzorging: Puur Publishers/Nanette van Mourik, Maartje Vermeer
Tekeningen: Ad Oskam
Foto omslag: iStockphoto

ISBN 978 90 5951 2894
NUR 793

Inhoud

Inleiding

Voordat je het weet, kan je iets overkomen: een kras op de auto of een bal door de ruit. Of erger: een aanrijding, brand of langdurige ziekte. Bijna elk onheil is te verzekeren. Er zijn veel verzekeringsmaatschappijen, die stuk voor stuk verschillende en soms zeer uiteenlopende verzekeringen aanbieden. Binnen één soort verzekering hanteren ze weer veel verschillende voorwaarden, om over de uiteenlopende premies en premiekortingen maar te zwijgen.

Een doolhof dus, waarin u makkelijk kunt verdwalen, met de grote kans dat uw verzekeringspakket niet of niet goed aansluit op uw persoonlijke omstandigheden. En tegen dat risico kunt u zich nergens verzekeren...

Wat kunt u wel doen? U kunt op een rij zetten welke verzekeringen u momenteel heeft lopen en welke verzekeringen u eigenlijk nodig heeft. Een nuttige klus die veel geld kan besparen, maar best ingewikkeld. Dit boek helpt u hierbij.

In hoofdstuk 1 vindt u algemene informatie over verzekeringsland. Over nut en noodzaak van verzekeringen in het algemeen, over de dekking, onder- en oververzekerd zijn en de diverse aanbieders. U krijgt ook praktische aanwijzingen voor het afsluiten, oversluiten en opzeggen van verzekeringen, voor het claimen van schade en het indienen van een klacht over uw verzekeraar.

Heel handig in dit hoofdstuk zijn de kieswijzers die uw keus vergemakkelijken en tot een verzekeringspakket leiden dat het best past bij uw wensen en uw persoonlijke omstandigheden. De schema's corresponderen met de schadeverzekeringen die in de hoofdstukken 2, 3 en 4 aan bod komen.

Hoofdstuk 2 behandelt verzekeringen die met uw huis en spullen te maken hebben: de woonhuisverzekering, de inboedelverzekering, de buitenshuisdekking, de kostbaarhedenverzekering en de aansprakelijkheidsverzekering particulieren.

In hoofdstuk 3 komen verzekeringen aan bod die te maken hebben met vervoer en reizen. U leest eerst over het verzekeren van transportmiddelen, zoals uw auto, maar ook uw caravan, fiets en boot. Daarna komen de (doorlopende) reisverzekering en de annuleringsverzekering aan bod. Hoofdstuk 4 is gewijd aan lijf en leden, met informatie over de verzekering van medische kosten via de zorgverzekering, de arbeidsongeschiktheidsverzekering, de woonlastenverzekering, de uitvaartverzekering en de rechtsbijstandsverzekering.

Van alle verzekeringen leest u wat ze inhouden, wie er iets aan heeft en wie niet, en waarop u bij het afsluiten moet letten.

Kortom: een praktisch boek met de nieuwste ontwikkelingen in verzekeringsland, zoals de opmars van de buitenshuisdekking ten koste van de kostbaarhedenverzekering en de groeiende populariteit van verzekeringen die uit modulen bestaan.

01

OVER VERZEKERINGEN

Voordat u hierna specifieke informatie krijgt over allerlei verzekeringen, vindt u in dit hoofdstuk algemene informatie.

In par. 1.1 leest u hoe de verzekeringswereld in elkaar zit en wat uw rechten en plichten daarbij zijn. Par. 1.2 helpt u bij de keuze van een verzekering. Par. 1.3 behandelt de praktijk: wat speelt er allemaal als je een verzekering afsluit. Hoe stap je over? En hoe zeg je een verzekering op?

1.1 De wereld van verzekeringen

1.1a Soorten

Er zijn verschillende soorten verzekeringen:

- *Schadeverzekeringen* verzekeren het risico op schade. Dat kan materiële schade zijn, denk aan schade aan uw auto of uw inboedel, maar ook immateriële schade, bijvoorbeeld ziekte of een juridisch geschil.
- *Levensverzekeringen* verzekeren het leven. Hieronder vallen lijfrente-, kapitaal- en gemengde verzekeringen, maar ook overlijdensrisico- en uitvaartverzekeringen die een bedrag uitkeren. Anders dan veel mensen denken, valt een ongevallenverzekering niet onder de levensverzekeringen. Er zijn in principe drie soorten levensverzekeringen.
  1. Een verzekering die het afgesproken bedrag uitkeert als de verzekerde overlijdt tijdens de looptijd van de verzekering.
  2. Een verzekering die uitkeert als de verzekerde persoon nog in leven is op een afgesproken datum.
  3. Een gemengde verzekering, een combinatie van optie 1 en 2.
- *Natura-uitvaartverzekeringen* keren bij overlijden geen geld uit, maar nemen de kosten van de uitvaart voor hun rekening. Vaak regelt een aan de verzekeraar gelieerde uitvaartondernemer ook de begrafenis of crematie. Over uitvaartverzekeringen leest u meer in par. 4.5.

1.1b Toezicht, vergunningen en registers

Bijna alle regels en voorschriften voor de financiële markten, waartoe ook verzekeringen horen, zijn gebundeld in de Wet financieel toezicht (WFT). Ook het toezicht op de financiële markt is daarin geregeld. De financiële sector staat onder toezicht van De Nederlandsche Bank (DNB) en de Autoriteit Financiële Markten (AFM).

Toezicht. De WFT brengt een heldere scheiding aan tussen de taken van DNB en de AFM. DNB is belast met het prudentieel toezicht, de AFM met het gedragstoezicht.

Prudentieel toezicht houdt in dat gecontroleerd wordt of financiële ondernemingen zelf financieel gezond zijn en aan hun financiële verplichtingen kunnen voldoen. DNB kan sancties opleggen aan instellingen die zich niet aan de eisen houden. In het uiterste geval wordt de vergunning van de onderneming ingetrokken (zie verderop).

Het toezicht van DNB is geen garantie dat een verzekeraar nooit in moeilijkheden zal komen, maar de kans hierop is wel aanzienlijk kleiner.

De AFM houdt toezicht op het gedrag van financiële dienstverleners, waaronder verzekeringstussenpersonen. Voor zorgverzekeraars geldt een uitzondering, zij vallen onder het toezicht van de Nederlandse Zorgautoriteit.

De AFM let erop dat financiële dienstverleners hun klanten goede informatie geven over hun producten en dat ze zich houden aan de afspraken die zij met klanten hebben gemaakt. Als een dienstverlener zich niet aan de regels houdt, kan hij van de AFM een waarschuwing, boete of dwangsom krijgen. De AFM kan ook informatie publiceren (met inachtneming van de geheimhoudingsplicht).

Vergunning. Nederlandse verzekeraars moeten een vergunning van DNB hebben, die krijgen ze alleen als ze over voldoende financiële middelen beschikken en betrouwbare en deskundige bestuurders hebben. Buitenlandse verzekeraars die in Nederland actief zijn op basis van een Europees paspoort zijn uitgezonderd van de vergunningplicht.

Financiële dienstverleners moeten voor sommige producten, zoals verzekeringen, beleggingen of leningen, een vergunning van de AFM hebben.

Registers. Alle verzekeraars met een vergunning staan in de registers van DNB. Die zijn te raadplegen via www.dnb.nl. De registers van de AFM staan op www.afm.nl. Daar kunt u ook zien of een dienstverlener weleens een waarschuwing heeft gehad.

Vroeger konden de registers van DNB ook via de AFM bekeken worden, nu niet meer; je wordt doorgestuurd naar DNB. Toch staat op de site van de AFM ook heel veel informatie over verzekeraars. Dat komt doordat een verzekeringsmaatschappij niet alleen een verzekeraar is, maar een scala aan financiële producten verkoopt. Dat heeft invloed op het toezicht.

Verder zijn verzekeraars wettelijk verplicht zich aan te sluiten bij het Kifid (www.kifid.nl), het centrale klachteninstituut. Het Kifid is onafhankelijk, laagdrempelig, snel en betaalbaar. Zie par. 1.3f voor meer informatie.

Buitenlandse verzekeraars

Buitenlandse verzekeraars kunnen via bijkantoren verzekeringsproducten in Nederland aanbieden. Heeft deze verzekeraar een vergunning in een ander EU-land, dan heeft hij geen vergunning van DNB nodig.

Verzekeraars staan onder toezicht van het land waar zij hun hoofdves-
tiging hebben. Het toezicht in de EU is volgens Europese verzekerings-
richtlijnen opgezet en is dus in ieder land vrijwel gelijk.
Buitenlandse verzekeraars moeten zich wel melden bij DNB. Zij worden
ook opgenomen in het DNB-register.

Tussenpersonen
Veel verzekeraars bieden hun verzekeringen aan via een tussenpersoon.
Tussenpersonen staan niet onder toezicht van DNB, maar van de AFM.
Tussenpersonen die een verzekering, belegging of hypotheek verkopen,
moeten een AFM-vergunning hebben. Zij worden opgenomen in het
AFM-register. In par. 1.2g leest u meer over tussenpersonen.

Uw rechten en plichten

Een verzekering is een overeenkomst die u aangaat met uw verzekeraar. Als bewijs krijgt u een polis waarin kort staat tegen welk risico
u bent verzekerd en wat de polisvoorwaarden zijn. Die voorwaarden
omschrijven uw rechten en plichten, dus lees ze altijd goed door voordat u de overeenkomst sluit. In par. 1.3 komen uw rechten en plichten
uitgebreid aan bod.

Verzekeraar failliet?

Als een verzekeraar failliet dreigt te gaan, probeert DNB de verzekeringspor-
tefeuille over te laten dragen aan een andere, financieel gezonde verzekeringsmaatschappij. Het uitgangspunt is dat de verzekeraar wordt overge-
nomen door een of meer andere verzekeraars. Absolute zekerheid heeft u
echter niet. Mocht dit niet lukken, dan gaat de verzekeraar failliet. Maar dat
zal in de praktijk niet snel gebeuren.
Voor levensverzekeraars heeft DNB in overleg met het Verbond van Verzekeraars een opvangregeling ontworpen, die erop gericht is de verzekeringspor-
tefeuille over te dragen voordat een verzekeraar failliet wordt verklaard. Faillissement betekent meestal wel een korting van de rechten van polishouders.
Het depositogarantiestelsel, waarbij spaargeld of een deposito tot €100.000
per vergunninghouder is gegarandeerd bij een faillissement, geldt niet voor
levensverzekeringen. U loopt daarmee bij een faillissement dus iets meer
risico.

1.2 Hulp bij uw keus

Goed verzekeren betekent kiezen. Welke verzekering wel, welke niet? Allereerst moet u nagaan welke risico's u kunt lopen. Bekijk daarna welke financiële risico's u zelf denkt te kunnen dragen en welke niet.

Kleine risico's kunt u best zelf opvangen of maakt u nog kleiner via preventieve maatregelen. Maar grotere risico's moet u beslist verzekeren, anders kunt u in flinke financiële problemen komen. Voor die grote risico's moet u op zoek naar de verzekering die voor u het best en goedkoopst is.

1.2a Nut en noodzaak

Ingedeeld naar nut en noodzaak, vallen schadeverzekeringen in vier grote groepen uiteen.

1 *Wettelijk verplicht* zijn de WA-verzekering als u een motorvoertuig (auto, motor, brom- en snorfiets) bezit en het basispakket van de zorgverzekering. Heeft u een hypotheek, dan verplicht de bank u een woonhuisverzekering af te sluiten.

2 *Noodzakelijk* zijn de aansprakelijkheidsverzekering voor particulieren (AVP), de inboedelverzekering, de woonhuisverzekering als u een eigen huis bezit en de arbeidsongeschiktheidsverzekering voor zelfstandigen. Gaat u op vakantie, dan kunt u niet zonder een reisverzekering die in ieder geval de buitengewone of onvoorziene kosten dekt.

3 *Te overwegen* zijn de beperkte of volledige cascoverzekering voor een motorvoertuig (afhankelijk van de ouderdom) en buitenshuisdekking als u kostbaarheden of elektronische apparatuur heeft die u ook mee naar buiten neemt. Heeft u een kostbare inboedel, dan ontkomt u niet altijd aan de kostbaarhedenverzekering.

Voor een dure fiets of e-bike kunt u de fietsverzekering of e-bikeverzekering overwegen.

Afhankelijk van de dekking van uw zorgverzekering kunt u een gezinsongevallenverzekering overwegen en bij vakanties een annuleringsverzekering of een uitgebreidere reisverzekering.

4 *Nooit of slechts bij hoge uitzondering noodzakelijk* zijn heel wat verzekeringen die volop verkocht worden, maar waar u weinig aan heeft. Zie het kader 'Onzinverzekeringen' hierna.

Onzinverzekeringen

In de *Consumentengids* van maart 2014 staat een top-9 van onzinverzekeringen. Hier geven we een samenvatting, met daarachter een toelichting en/of advies.

9 Zinloosgeweldverzekering: alles wat deze polis aanbiedt, is ook in andere verzekeringen beschikbaar.

8 Huisdierverzekering: zet het premiebedrag elke maand op een spaarrekening; grote kans dat ziektekosten daarmee ruim zijn gedekt.

7 Scholieren(ongevallen)verzekering: geldt alleen onder schooltijd, sluit een ongevallenverzekering goed af (dus altijd dekkend) of níet.

6 Smartphoneverzekering: alleen afsluiten als de smartphone uw primaire communicatiemiddel is en u altijd bereikbaar moet zijn.

5 Garantieverzekeringen: een verkoper die u een extra garantie aansmeert laat u betalen voor zijn eigen wettelijke verplichtingen.

4 Ongevallenverzekering inzittenden: wie inzittenden extra wil beschermen, kiest voor een schadeverzekering inzittenden.

3 De catastrofeverzekering: van weinig waarde voor wie niet in een risicogebied woont, met een torenhoge premie als u wel risico loopt.

2 Pechhulp(thuis)verzekering: de kosten van de premie wegen niet op tegen de zeer beperkte dekking. Bovendien moet u alsnog zelf betalen als er echt iets aan de hand is. Deze verzekering is echt overbodig.

1 De regenverzekering: neem spelletjes en zwemkleding mee, dat is veel goedkoper.

1.2b Dekking

Bij het samenstellen van uw verzekeringspakket speelt ook de dekking een rol. U kunt bij veel verzekeringsvormen uit diverse dekkingen kiezen.

Bij de auto kunt u kiezen tussen WA, WA+ (beperkt casco) en volledig casco (allrisk). Bij de zorgverzekering kunt u bijvoorbeeld de tandarts of fysiotherapie meeverzekeren via een aanvullende verzekering. Bij de woonhuis- en inboedelverzekering kunt u kiezen tussen extra uitgebreid of allrisk. Meer uitgeklede vormen, zoals de brand- en uitgebreide verzekering, worden nauwelijks meer aangeboden.

Uw persoonlijke keus zal op dit punt de doorslag moeten geven. In de kieswijzers op pag. 19 en verder zijn de algemene aanwijzingen voor een keus zo veel mogelijk verwerkt.

Bij sommige verzekeringen kunt u ook vrijwillig (extra) eigen risico nemen, bijvoorbeeld bij de zorgverzekering of de AVP voor schade door kinderen. Zo'n vrijwillig eigen risico betekent altijd een lagere premie. En ten slotte: vergelijk. Wat de ene verzekeraar bij de gewone premie dekt, kunt u bij andere maatschappijen soms alleen tegen een hogere premie verzekeren. Ook dit moet u bij uw beslissing laten meewegen. Bedenk verder dat er in het algemeen geen strikt verband bestaat tussen de kwaliteit van de verzekering en de hoogte van de premie. Ook met een goedkope dekking kunt u goed verzekerd zijn.

1.2c   Kieswijzers

Met behulp van de kieswijzers kunt u nagaan welke verzekeringen u al dan niet nodig heeft. Dat is handig als u nog geen verzekeringen heeft, maar ook als u al verzekerd bent en uw verzekeringspakket nog eens wilt doorlopen.

Met de kieswijzers gaat u als volgt te werk: begin links bovenaan en volg de lijn in de met de pijl aangegeven richting. Deze gaat regelmatig over een wissel, waar u aan de hand van uw eigen situatie een keus moet maken. Daarna volgt u het gekozen spoor. Zet een cirkel om de verzekeringen die u op uw spoor tegenkomt. Die heeft u nodig of zou u op z'n minst moeten overwegen.

Aan het einde van de rit gaat u na of uw huidige verzekeringspakket overeenstemt met de omcirkelde verzekeringen. Is dat het geval, dan heeft de inventarisatie u de zekerheid gegeven die u zocht. Is dat niet het geval, dan moet u aan de slag met uw verzekeringspakket: overbodige verzekeringen opzeggen, noodzakelijke verzekeringen afsluiten of lopende verzekeringen oversluiten (zie par. 1.3).

Alle kieswijzers

Het is verstandig alle kieswijzers te doorlopen. Meer informatie over een bepaalde verzekering vindt u in de hoofdstukken hierna; zie de paragraafverwijzingen bij de kieswijzers.

Kieswijzer 1   AVP (zie par. 2.5)

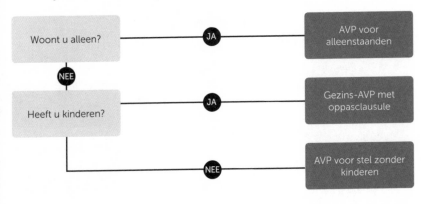

Kieswijzer 2   Woonverzekeringen met of zonder glas (zie par. 2.1)

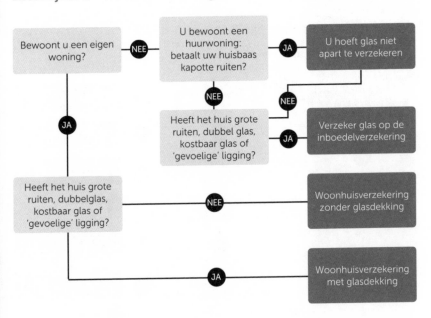

Kieswijzer 3 Kostbare inboedel (zie par. 2.2)

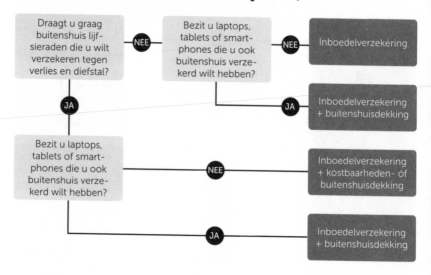

Kieswijzer 4 Auto (zie par. 3.1)
Als u weinig brokken maakt, betaalt u een lagere premie dan iemand die regelmatig claimt.
De no-claimkorting heeft dus invloed op uw premie.

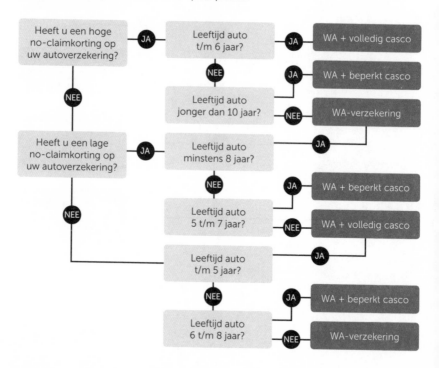

Kieswijzer 5 Vakantie

Uitgangspunt is dat u, als u op vakantie gaat, altijd kiest voor een reisverzekering. Eventueel volstaat u met de module voor buitengewone of onvoorziene kosten die standaard deel uitmaakt van een reisverzekering.

5A Doorlopende of kortlopende reisverzekering (zie par. 3.5)

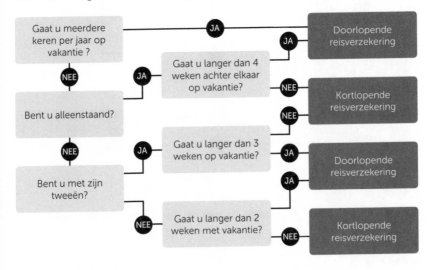

5B Annuleringsverzekering (zie par. 3.6)

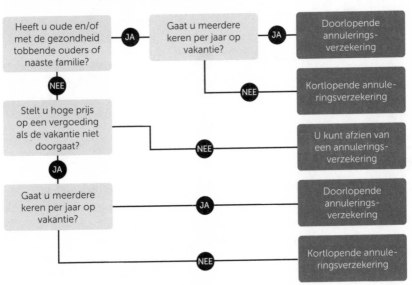

5C Hulp bij autopech

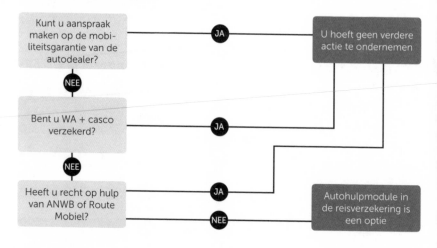

5D Geneeskundige kosten in het buitenland (zie par. 3.5c)

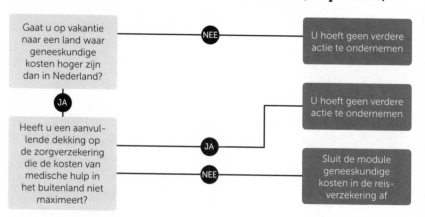

1.2d Niet goed verzekerd

U kunt op verschillende manieren niet goed verzekerd zijn, bijvoorbeeld als u onzinverzekeringen heeft afgesloten (zie par. 1.2a). Maar ook verzekeringen die elkaar overlappen, zijn overbodig. Daarnaast kunt u onderverzekerd of juist oververzekerd zijn.

Overlapping

Een dubbele verzekering is zonde van de premie. Hoe meer overlapping, hoe meer premie u te veel betaalt. Bovendien kunt u schade die dubbel verzekerd is, maar bij één verzekeraar of op één verzekering claimen.

Overlap helemaal voorkomen is moeilijk. Zo is uw afzonderlijk verzekerde fiets, als hij in de afgesloten schuur op slot staat, dubbel gedekt als u ook een goede inboedelverzekering heeft. Maar de fiets is natuurlijk slechts een van de zaken die een inboedelverzekering dekt en de fietsverzekering kent een uitgebreidere dekking voor de fiets.

Het is niet eenvoudig uw pakket zelf op overlap te controleren. U kunt de hulp van uw tussenpersoon inroepen als u die heeft (zie par. 1.2g). Een goede tussenpersoon zal u voor overlappingen waarschuwen.

Enkele voorbeelden van veelvoorkomende overlappingen zijn:

- sieraden: kunnen vallen onder de kostbaarhedenverzekering, buitenshuisdekking, inboedel- en/of reisverzekering;
- schade veroorzaakt door caravan: kan vallen onder de caravanverzekering, AVP, inboedel-, WA- en autoverzekering;
- hulpverlening in het buitenland: kan vallen onder pechhulp van de ANWB of Route Mobiel, mobiliteitsgarantie van de autodealer, de auto- en/of reisverzekering;
- vergoeding van een te betalen waarborgsom: kan vallen onder de AVP, WA-motorrijtuig- en/of rechtsbijstandsverzekering;
- vergoeding van ziektekosten en ongevallen: kan vallen onder de zorg-, ongevallen- en reisverzekering;
- uitkering bij overlijden: kan vallen onder de reis-, ongevallen-, natura-uitvaart- en levensverzekering;
- rechtsbijstand: kan vallen onder de rechtsbijstandsverzekering en pechhulp van de ANWB of Route Mobiel.

Onderverzekerd

Onderverzekering kan heel vervelend uitpakken, omdat de verzekeraar niet alleen bij volledig verlies, maar ook bij gedeeltelijke schade slechts een deel van de werkelijke strop vergoedt (zie het kader 'Inboedel' op de volgende pagina).

Inboedel

Stel, u heeft €5000 schade. Uw inboedel is verzekerd voor €40.000, maar de nieuwwaarde van uw spullen in huis bedraagt €80.000. U bent dus onderverzekerd. Bij grote schade stuurt de verzekeraar een expert langs. Die kijkt niet alleen naar de schade, maar maakt ook een schatting van de waarde van de inboedel. Als blijkt dat die een stuk hoger is dan opgegeven, wordt de schade naar evenredigheid vergoed. De verzekeraar keert dus maar de helft van de geleden schade uit, dus geen €5000, maar slechts €2500. Daarmee kunt u lang niet alle verloren gegane of onherstelbaar beschadigde spullen vervangen.

Onderverzekeren komt vaker voor dan u misschien denkt, vooral bij de inboedelverzekering. Hoe dat kan? Heel simpel: u heeft uw inboedelverzekering bijvoorbeeld tien jaar geleden afgesloten en het verzekerde bedrag bepaald naar de toen geldende nieuwwaarde. In de afgelopen jaren heeft u heel wat nieuwe spullen erbij gekocht. Alles bij elkaar voor een fors bedrag, maar u heeft nooit meer naar de polis gekeken. Zo bent u, zonder dat u het weet, onderverzekerd.

Gelukkig kennen de meeste verzekeraars tegenwoordig een garantie tegen onderverzekering. De verzekeraar garandeert bijvoorbeeld dat u niet onderverzekerd kunt zijn als u de inboedelwaardemeter (zie par. 2.2e) correct invult. Deze garantie heeft vaak een vooraf vastgestelde looptijd. Daarna moet u opnieuw een meter invullen.

Er zijn ook steeds meer verzekeraars die tot een hoge verzekerde som altijd uitkeren. Dit verzekeringsprincipe heet *premier risque*. In geval van onderverzekering wordt dan toch de volledige waarde vergoed.

Oververzekerd

Onderverzekeren kost u mogelijk geld, maar oververzekeren ook. Wie zich voor een te hoog bedrag verzekert, krijgt bij schade niet meer dan de werkelijke waarde uitgekeerd. Het bedrag dat u aan extra premie heeft betaald, is bij oververzekering dus weggegooid geld.

Oververzekering kan ontstaan door veranderingen in uw omstandigheden, bijvoorbeeld als de kinderen het huis uit gaan of als u kleiner gaat wonen. Controleer bij wijzigingen in uw persoonlijke omstandigheden altijd of uw verzekeringen bij uw situatie passen.

1.2e   Bijverzekeren

Sommige verzekeringen vloeien uit de wet voort, zie par. 1.2a. Bent u daarmee voldoende verzekerd of niet? Dat hangt opnieuw van uw persoonlijke omstandigheden af. U kunt met de verplichte verzekeringen volstaan, maar dan heeft u slechts een minimumdekking. Als u dat onvoldoende vindt, moet u bijverzekeren. Soms is het onverstandig om niet bij te verzekeren, zie het kader 'Bijverzekeren'.

Tip

Bijverzekeren

Als u een nieuwe auto of motor heeft, is het verstandig naast de verplichte WA een cascoverzekering te sluiten die ook schade aan uw eigen auto vergoedt. Als u uw nieuwe auto op afbetaling heeft gekocht, is een cascoverzekering eigenlijk onmisbaar zolang de lening loopt. Rijdt u door eigen schuld uw auto in de soep, dan zit u zonder auto en met een schuld die nog afbetaald moet worden.

1.2f   Premies, voorwaarden en looptijd

De premies voor eenzelfde verzekering kunnen per maatschappij verschillen. De premies kunnen uiteenlopen, doordat verzekeringen niet helemaal gelijk zijn. Wat de een wel verzekert, is bij de ander niet gedekt. Maar het komt ook voor dat de premies bij een (vrijwel) gelijke dekking aanzienlijk verschillen.

Vergelijk dus niet alleen de premies, maar ook de verzekeringsvoorwaarden. Die kunnen flink uiteenlopen. Alleen de premies en voorwaarden van de standaardpakketpolis van de zorgverzekering zijn wettelijk vastgesteld. Alle zorgverzekeraars zijn verplicht deze polis tegen een jaarlijks vastgestelde premie aan te bieden aan degenen die daarvoor in aanmerking komen.

Vergelijkingen van (combinaties van) premies en voorwaarden vindt u regelmatig in de *Geldgids*, de *Reisgids* en de *Consumentengids*. Op de site van de Consumentenbond staan de volgende handige vergelijkers:

- autoverzekering;
- AVP;
- fietsverzekering;
- inboedel/woonhuisverzekering;
- motorverzekering;

- rechtsbijstandsverzekering;
- reisverzekering;
- zorgverzekering.

Deze vergelijkers helpen u een keus te maken voor de verzekering die het best aansluit bij uw persoonlijke situatie.

Looptijd
Sinds 1 januari 2010 moeten verzekeraars u informeren als de contracttermijn afloopt en de verzekering kan worden verlengd. Ook is de verzekeringsduur beperkt. Voor schadeverzekeringen geldt een maximale looptijd van een jaar en een opzegtermijn van maximaal een maand. Dit betekent dat u na een jaar ieder moment kunt opzeggen en dan na maximaal een maand van de verzekering af kunt.
U kunt nog steeds een meerjarig contact afsluiten, maar daar moet u uitdrukkelijk mee akkoord gaan. Er zijn overigens ook aanbieders waarbij u altijd zonder opzegtermijn de verzekering kunt beëindigen.

1.2g   De aanbieders
Verzekeraars mogen wettelijk gezien twee organisatievormen hebben: naamloze vennootschappen en onderlinge waarborgmaatschappijen. Als u een verzekering wilt afsluiten, kan dat rechtstreeks bij een verzekeringsmaatschappij (*direct writers*), maar u kunt ook een tussenpersoon inschakelen.

Tip

Keurmerk Klantgericht Verzekeren
Het Keurmerk Klantgericht Verzekeren is een kwaliteitsgarantie voor de dienstverlening en klantgerichtheid van verzekeraars. Meer informatie over dit keurmerk vindt u op www.keurmerkverzekeraars.nl.

Naamloze vennootschappen en onderlinge waarborgmaatschappijen
Een naamloze vennootschap is een rechtsvorm die gefinancierd wordt door externe financiers. Zij verstrekken de vennootschap de benodigde financiële middelen om het bedrijf te kunnen uitoefenen. Denk hierbij aan verzekeraars als Aegon, ASR en Nationale-Nederlanden.
Een onderlinge waarborgmaatschappij is een vereniging van verzeker-

den, die 'leden' worden genoemd. Denk hierbij aan grote verzekeraars als Avéro Achmea, Bovemij, Centraal Beheer Achmea, Interpolis, Klaverblad en Univé.

Vaak wordt beweerd dat onderlinge waarborgmaatschappijen een risico inhouden, bijvoorbeeld omdat de verzekerden de dupe zouden worden bij financiële tegenvallers. Dat is maar deels waar. De landelijk of regionaal werkende onderlinge maatschappijen zijn in de praktijk minstens zo betrouwbaar als de 'gewone' verzekeraars.

In de naam van een onderlinge waarborgmaatschappij treft u altijd de lettercombinatie UA, BA of WA aan. Deze letters vertellen iets over uw eventuele aansprakelijkheid:

- In de statuten van de *UA-maatschappijen* wordt iedere verplichting van de leden om tekorten aan te vullen uitgesloten. Niets aan de hand dus. In feite geldt dit voor alle grote onderlinge waarborgmaatschappijen.
- Bij de *BA-maatschappijen* kunnen de leden beperkt aansprakelijk zijn. Het bedrag waartoe die aansprakelijkheid is beperkt, staat in de statuten. Gebruikelijk is eenmaal de jaarpremie. Ook als die beperking niet geldt, is het risico niet al te groot. De onderlinge waarborgmaatschappijen zijn namelijk meestal rijke clubs, met zeer aanzienlijke financiële reserves. Bovendien worden de risico's vaak herverzekerd.
- Bij de *WA-maatschappijen*, en alleen daar, geldt een wettelijke aansprakelijkheid. De leden zijn samen volledig aansprakelijk voor eventuele tekorten (die meestal elders zijn herverzekerd).

Direct writers

Bij verzekeringsmaatschappijen zonder tussenpersoon, in vaktaal *direct writers* genoemd, doet u uw verzekeringszaken direct met de maatschappij. De diensten die een tussenpersoon zou verlenen, moet u dus als klant zelf uitvoeren. Daardoor bent u bij deze verzekeringsmaatschappijen vaak goedkoper uit. De verzekeringen en de gehanteerde voorwaarden zijn er, door de bank genomen, niet minder om.

Als u er niet tegenop ziet zelf informatie in te winnen en er even voor te gaan zitten, kunt u zich prima verzekeren via zo'n maatschappij. Afgezien van de verkoopmanier bestaan er geen echte verschillen met de 'gewone' verzekeraars. Bij eventuele schade moet u wel alles zelf regelen. Steeds meer mensen sluiten via internet direct een verzekering af. Een groot voordeel van online verzekeren is dat u snel en direct contact met een verzekeraar heeft voor het aanvragen van een polis, het doorgeven van aanpassingen, schaden en opzeggingen. De polisgegevens staan ook op het web. Verdwenen polissen en zoeken in een la behoren tot het verleden. Alle handelingen rond een verzekering verlopen dus gemakkelijker en efficiënter.

Het grootste voordeel is het besparen van premie. U kunt zelf een geschikte verzekering kiezen tegen een gunstige premie en bent niet meer afhankelijk van het aanbod van verzekeraars waarmee de tussenpersoon samenwerkt. Natuurlijk zijn er ook nadelen. Online verzekeren gaat zonder tussenpersoon. Wie de tussenpersoon overslaat, moet zelf kiezen en dingen regelen.

Banken als ING en ABN Amro hadden via internetbankieren een goed afzetkanaal gekregen voor hun verzekeringen en gingen al snel online. De traditionele verzekeraars gingen ook online, maar meestal niet van harte. Zo sturen Allianz, ASR en Avéro Achmea via hun websites iedere klant door naar een van hun tussenpersonen. Internet wordt hier gebruikt als een soort brievenbus. U laat uw gegevens of een bericht achter op de site en naar aanleiding hiervan neemt een intermediair contact met u op. Die verzekeraars hebben sinds enkele jaren echter ook een direct kanaal, respectievelijk www.allsecur.nl, www.ditzo.nl en www.inshared.nl, waar de klant zelf zijn verzekeringen afsluit en beheert.

Naast zulke typische internetverzekeraars zijn er meer en meer 'branchevreemde' aanbieders als direct writer op internet actief. Voorbeelden hiervan zijn de HEMA via www.hemaverzekeringen.nl en het Kruidvat via www.kruidvat.nl/verzekeringen. In feite zijn dit afzetkanalen van respectievelijk Inshared en Aegon.

Opmerkelijk is de vergelijkingssite Independer.nl die werd opgericht in 1999. Het is inmiddels de grootste onlinetussenpersoon van Nederland. U sluit daar dus niet alleen de polis af, maar gaat er ook naartoe voor wijzigingen en/of schademeldingen. Het is behalve concurrent voor andere tussenpersonen ook een verkoopkanaal en promotor van direct writers. Een andere optie zijn de websites die verzekeringen vergelijken en waarbij u direct de verzekering van uw keus kunt afsluiten. Sommige zijn gespecialiseerd in één soort product, zoals www.123lijfrente.nl voor pensioenuitkeringen en www.banksparen.nl voor pensioenopbouw. Wie wil beleggen om een pensioen op te bouwen, kan weer beter terecht bij www.brandnewday.nl.

Het is niet altijd goed te zien welke verzekeraars betrokken zijn in de vergelijking. Dat is bijvoorbeeld het geval bij de schadeverzekeringen die op www.fx.nl vergeleken worden. FX maakt gebruik van de intermediair VDK Assurantiën in Den Haag, maar daar is geen nadere informatie te vinden. Bij www.geld.nl is ondanks de belofte van transparantie ook geen inzicht te krijgen in de aanbieders die vergeleken worden.

De websites van de Consumentenbond, Independer en Hoyhoy vermelden wel duidelijk welke verzekeraars vergeleken worden. Minder complete vergelijkers zijn www.geencentteveel.nl, www.premie.nl en www.netpolis.nl.

Tip

Meer informatie

Meer informatie over onlineverzekeren, maar ook over andere financiële producten, zoals internetbankieren, vindt u in ons boek *Digitale geldzaken*.

Tussenpersoon

Als u geen zin heeft om allerlei verzekeringen te vergelijken, kunt u een tussenpersoon inschakelen. Dit kan iemand zijn die zich uitsluitend met bemiddeling bezighoudt, maar ook de assurantieafdeling van een bank of makelaar kan als tussenpersoon fungeren. Deze bedrijven bemiddelen slechts, u bent dus niet bij de bank of makelaar zélf verzekerd.

In principe zijn tussenpersonen zelfstandig. Maar de vraag is of een tussenpersoon echt onafhankelijk is van een verzekeringsmaatschappij. Nogal wat assurantiekantoren zijn namelijk geheel of voor een groot deel eigendom van een verzekeraar.

Of u met een afhankelijke of onafhankelijke tussenpersoon te maken heeft, is lang niet altijd duidelijk. Vraag uw tussenpersoon daarnaar.

Een tussenpersoon geeft voorlichting over de verzekeringen die op de markt zijn. Hij geeft adviezen over de verzekeringen die bij uw persoonlijke behoefte(n) en omstandigheden aansluiten. Hij bemiddelt bij de verkoop van verzekeringen en helpt u als er schade is en u een beroep op een uitkering moet doen.

Beloning. Bij schadeverzekeringen kan een tussenpersoon op drie manieren worden beloond:

- via provisie die hij ontvangt van de verzekeraar (dit mag niet voor alle verzekeringen, zie het kader 'Provisie verboden!');
- via een serviceabonnement, daarbij betaalt u de tussenpersoon jaarlijks een bedrag voor zijn diensten;
- een combinatie van beide systemen.

Serviceabonnement

Een aantal tussenpersonen eist van hun klanten dat ze voor schadeverzekeringen een serviceabonnement afnemen. Als de kosten voor dit abonnement redelijk zijn en in plaats komen van de provisie, heeft de Consumentenbond hier geen probleem mee. Tegenover deze kosten staat immers een lagere nettoverzekeringspremie. Maar er zijn ook tussenpersonen die van de verzekeraar provisie vangen en daarnaast de klant ook nog een serviceabonnement aansmeren. Zij krijgen dubbel betaald. In dat geval adviseren we u een andere adviseur in de arm te nemen.

Sinds 2009 stelt de wet dat provisies 'passend' moeten zijn. De vergoeding moet in verhouding staan tot het werk dat de tussenpersoon ervoor doet, maar hier zijn geen vaste regels voor.

De verzekeraar verwerkt deze provisie in de premie. De tussenpersoon kan een deel van de provisie die hij van de verzekeraar ontvangt teruggeven aan de consument in de vorm van korting of een cadeau. Als uw tussenpersoon provisie ontvangt, kunt u dus onderhandelen over de prijs. Wie al weet welke verzekering hij wil afsluiten, kan op zoek naar de adviseur die dat het goedkoopst doet. Dezelfde verzekering kan immers bij tussenpersoon A goedkoper zijn dan bij tussenpersoon B.

Provisie verboden!

Sinds 2013 mogen tussenpersonen geen provisie meer ontvangen bij het afsluiten van de volgende complexe financiële producten:
- uitvaartverzekeringen (zie par. 4.5);
- levensverzekeringen;
- bankspaarproducten;
- deelnemingen in een beleggingsfonds (vanaf 2015; voor 2014 geldt een overgangsregeling);

- hypotheken;
- betalingsbeschermers;
- overlijdensrisicoverzekeringen;
- individuele arbeidsongeschiktheidsverzekeringen (zie par. 4.2).

Tussenpersonen worden bij de bovenstaande producten dus altijd rechtstreeks door de klant betaald. Voor schadeverzekeringen, zoals een woonhuis- of autoverzekering, en voor consumptief krediet geldt geen provisieverbod. Sterker nog: voor een consumptief krediet zoals een persoonlijke lening of doorlopend krediet is dat de enige toegestane beloningsvorm.

Tip

Dienstverleningsdocument

Aanbieders, adviseurs en tussenpersonen zijn verplicht bij producten waarvoor een provisieverbod geldt een dienstverleningsdocument te overhandigen. Daarin moet informatie staan over de dienstverlening, onafhankelijkheid en de gemiddelde kosten. Omdat er met een standaarddocument wordt gewerkt, kunt u adviseurs hiermee goed met elkaar vergelijken.

Onafhankelijk en deskundig? Als de tussenpersoon maar één of enkele maatschappij(en) vertegenwoordigt, beperkt dat uw keus natuurlijk. Bovendien loopt u het risico dat hij niet te koop zal lopen met de minpunten van de ene verzekering die hij aanbiedt. Hij zal evenmin snel geneigd zijn u te wijzen op betere en goedkopere verzekeringen van een andere maatschappij.

In zo'n geval kun u beter ook eens elders, bij een andere tussenpersoon of bij een direct writer, informeren. In dat laatste geval krijgt u natuurlijk ook alleen de verzekering van de aanbieder, maar u bent dan wel in veel gevallen goedkoper uit.

Tussenpersonen die eigendom zijn van een verzekeraar zijn niet per se afhankelijk van die maatschappij. Maar als zij u een verzekering van de moedermaatschappij aanbieden, moeten zij wel goed kunnen uitleggen waarom die verzekering goed bij u past.

Tussenpersonen kunnen zich aansluiten bij brancheorganisatie Adviseurs in Financiële Zekerheid (Adfiz). Deze organisatie stelt eisen aan de onafhankelijkheid van de adviseur. Bovendien mag een aangesloten adviseur niet exclusief zaken doen met één aanbieder.

Verder herinneren we u eraan dat tussenpersonen onder toezicht van de AFM vallen; zij is verantwoordelijk voor de vergunningverlening en registratie. Tot slot moet iedere adviseur die klantcontacten heeft, vanaf 2015 een WFT-diploma hebben. Helaas bestaat er geen centraal register waarin dat te checken is. Indien ingevuld, staat het wel op www.advies-keuze.nl (zie het kader 'Advieskeuze').

Met klachten over aangesloten tussenpersonen kunt u terecht bij het Kifid (zie par. 1.3f).

Advieskeuze

Begin 2013 heeft de Consumentenbond een aandeel genomen in www.advieskeuze.nl. Advieskeuze is een onafhankelijk onlineplatform dat de dienstverleningsvormen, adviestarieven, klantwaardering, opleidings-niveaus enzovoort van financiële advieskantoren zichtbaar maakt. Het helpt consumenten bij het vinden van een goed advieskantoor of een goede advi-seur en biedt bedrijven de mogelijkheid om zich op een neutraal platform te presenteren.

Advieskeuze is geen adviseur, aanbieder of bemiddelaar en accepteert geen lead- of doorklikvergoedingen van de advieskantoren die getoond worden. Er is dus geen prikkel om de ene partij beter of anders te tonen dan de andere.

Advieskeuze verwerft zijn inkomsten voornamelijk uit de verkoop van web-modulen en rapportages aan banken, verzekeraars en landelijke ketens van advieskantoren waarmee deze partijen de tevredenheid van klanten over hun diensten kunnen monitoren.

De reacties van de markt op het initiatief zijn zeer positief. De financiële sector staat onder druk om klanten centraler te stellen, kwaliteit te verbe-teren en transparanter te worden, en Advieskeuze voorziet in die behoefte. De waarde van het platform stijgt gestaag: alle advieskantoren in Nederland zijn via het platform vindbaar. Een groeiend deel daarvan is ook actief: ze vragen actief om reviews van hun klanten en vullen hun tarieven, kantoor-informatie en dienstverleningsdocumenten in. De site van de Consumen-tenbond is inmiddels gekoppeld aan het Advieskeuzeplatform. Op diverse financiële dossiers kunnen bezoekers beoordelingen achterlaten of die van Advieskeuze raadplegen.

> ## ! Blijf kritisch
> Stel u ook bij een onafhankelijke tussenpersoon kritisch op. Vul niet het eerste het beste aanvraagformulier in, maar vraag hoeveel keus de tussenpersoon biedt. Vraag ook na of en, zo ja, welke verzekeraars financiële belangen in zijn bedrijf hebben. Vraag ook een uitleg over de verschillende voorwaarden en premies die van toepassing zijn.

1.3 De praktijk

In deze paragraaf vindt u informatie die u nodig heeft als u zelf aan de slag gaat met uw verzekeringspakket. Die informatie hebben we min of meer in chronologische volgorde gezet. Eerst komen het afsluiten, wijzigen en opzeggen van een verzekering aan de orde, daarna het claimen van schade. U leest ook hoe u een klacht kunt indienen, bijvoorbeeld als de verzekeraar niet wil uitkeren. We geven per onderdeel informatie over uw rechten, praktische tips en waarschuwingen.

1.3a Afsluiten

Mededelingsplicht
Heeft u voor een bepaalde verzekering gekozen, dan moet u vóór het afsluiten ervan meestal een vragenformulier invullen. Dat bevat vragen over de aard en ligging van een te verzekeren object, maar ook over eerdere schaden, opzeggingen en niet-acceptatie door andere maatschappijen. Er kunnen ook vragen over uw gezondheid of een strafverleden op staan. Aan de hand van dit formulier beoordeelt de verzekeraar het te verzekeren risico. Vul het dus zorgvuldig, volledig en eerlijk in.
Als de verzekeraar ontdekt dat u niet aan de mededelingsplicht heeft voldaan, moet hij u binnen twee maanden na de ontdekking op de niet-nakoming en de mogelijke gevolgen wijzen. Had de verzekeraar bij een juiste voorstelling van zaken de verzekering niet onder dezelfde premie en/of voorwaarden geaccepteerd, dan doet hij een voorstel voor een aanpassing van de verzekering. U heeft dan twee maanden bedenktijd. Als u niet akkoord gaat, wordt de verzekering beëindigd.
Wat als de verzekeraar de onjuiste opgave pas bij een schade bemerkt?

Als het niet-nakomen van de mededelingsplicht alleen betrekking heeft op feiten die geen rol hebben gespeeld bij de ontstane schade, moet hij gewoon uitkeren. Dat heet het causaliteitsbeginsel. Maar kan de verzekeraar aantonen dat hij bij nakoming van de mededelingsplicht geen verzekering zou hebben gesloten, dan vervalt de verzekering en is hij geen uitkering verschuldigd. Het gaat dan altijd om een feit dat wel een rol speelt bij de ontstane schade, waardoor er geen sprake is van het causaliteitsbeginsel.

Als de verzekeraar bij nakoming van de mededelingsplicht een hogere premie of een lager verzekerd bedrag zou hebben bedongen, wordt de uitkering naar evenredigheid verminderd. Zou de premie bijvoorbeeld dubbel zo hoog zijn geweest, dan wordt de uitkering verminderd met de helft. Als de verzekeraar bij nakoming van de mededelingsplicht andere voorwaarden zou hebben gesteld, moet de schade worden beoordeeld alsof deze andere voorwaarden van toepassing zouden zijn geweest.

Tip

Aandachtspunten

Let bij het afsluiten van een verzekering vooral op:

- of de verzekeraar wel een vergunning heeft (zie par. 1.1b);
- wat er wel en niet wordt gedekt door de verzekering;
- of u niet te duur uit bent, vergeleken met soortgelijke verzekeringen elders;
- wat u moet doen om aanspraak te kunnen maken op een schadevergoeding of levensverzekering;
- wat er in de algemene voorwaarden staat;
- hoe u de verzekering weer kunt opzeggen;
- het verdienmodel van een eventuele tussenpersoon;
- het dienstverleningsdocument bij een verzekering waarvoor het provisieverbod geldt (zie het gelijknamige kader bij par. 1.2g). Lees dit goed door, want hierin staan onder meer de gemiddelde kosten en – bij een tussenpersoon – het aantal verzekeraars waarmee een tussenpersoon werkt.

Invullen vragenformulier

Werkt u met een tussenpersoon, laat hem dan het vragenformulier van de verzekeraar invullen: hij is immers de deskundige. Controleer wel wat hij heeft ingevuld en zet pas uw handtekening als alles klopt. Door uw handtekening staat u namelijk in voor de juistheid en volledigheid van de antwoorden.

Het is bovendien verstandig vooraf de (specimen)polisvoorwaarden op te vragen en nauwkeurig door te nemen. Dit voorkomt dat u achteraf voor verrassingen komt te staan.

Acceptatie

Nadat u het aanvraagformulier heeft opgestuurd, beoordeelt uw verzekeraar de aanvraag. Pas als de verzekeraar u accepteert, bent u verzekerd. Daartoe is de verzekeraar in de regel niet verplicht, omdat ons recht uitgaat van het beginsel van contractvrijheid. Alleen voor de standaard-pakketpolis van de zorgverzekering kunt u niet worden geweigerd.

Het staat een verzekeraar dus vrij u niet te accepteren. Het is ook mogelijk dat u alleen met beperkende voorwaarden of uitsluitingen of alleen tegen een hogere premie wordt geaccepteerd. Overigens voert de ene verzekeringsmaatschappij een strenger acceptatiebeleid dan de andere. Na een afwijzing kunt u dus best bij een andere maatschappij een verzekering proberen af te sluiten.

Vraag om een reden

Een afwijzing kan een nieuwe aanvraag elders nadelig beïnvloeden, omdat u te maken kunt krijgen met het onderlinge meldingssysteem van de verzekeraars. Vraag de verzekeraar daarom altijd schriftelijk om een verklaring als hij u zonder een behoorlijke opgaaf van redenen niet of niet onder de normale voorwaarden heeft geaccepteerd. Met het antwoord kunt u de juistheid van zijn besluit controleren en beter beslagen ten ijs komen bij eventuele volgende maatschappijen.

Voor mensen die bij veel verzekeringsmaatschappijen nul op het rekest krijgen, hebben sommige branches een (dure) 'noodoplossing' in het leven geroepen: Rialto verzekeringen voor de auto-, AVP-, inboedel- en woonhuisverzekeringen. Deze maatschappij is opgericht door een groot aantal verzekeraars en verzekert risico's die voor 'normale' verzekeraars te groot zijn. Doordat Rialto alleen grote risico's verzekert, zijn de premies veel hoger dan bij een gewone verzekeraar.

In de meeste branches is zo'n noodoplossing niet voorhanden en lopen 'probleemgevallen' helaas de kans dat zij zich nergens kunnen verzekeren en dus onverzekerd moeten blijven. Alleen voor de standaardpakketpolis van de zorgverzekering kunt u, zoals gezegd, niet geweigerd worden. Probleemgevallen hebben vrijwel altijd te maken met moraliteit of gezondheid. Het wordt bijvoorbeeld lastig een verzekering te vinden als u in het verleden onterecht heeft geclaimd, een strafblad heeft of als u extreem veel claimt (al dan niet terecht). Ook in geval van ernstige ziekte kan het lastig zijn een verzekering af te sluiten, denk dan aan een arbeidsongeschiktheids-, woonlasten- of overlijdensrisicoverzekering.

Tip

Afkoelingsperiode

Na ontvangst van de verzekeringspolis kunt u binnen 14 dagen nog van een afgesloten schadeverzekering af. Voor levensverzekeringen met een looptijd van meer dan 6 maanden geldt een afkoelingsperiode van 30 dagen.

Polis

Als u bent geaccepteerd, krijgt u de polis toegestuurd. Dat kan even duren. Daarom doet u er goed aan een bewijs van voorlopige dekking te vragen. Met alleen een mondelinge bevestiging kunt u namelijk, mocht u in de tussentijd schade oplopen, achter het net vissen. Het bewijs van voorlopige dekking kunt u al een dag na aanvraag ervan in uw bezit hebben. Er zijn ook tussenpersonen die bevoegd zijn zelf een voorlopige dekking te verlenen. Duurt het langer, dan kunt u de maatschappij een aangetekende brief sturen waarin u verwijst naar de toezegging van de tussenpersoon of de verzekeraar. Bewaar een kopie en het bewijs van terpostbezorging goed. De polis is het eigenlijke bewijs van uw verzekering. Deze bestaat uit een polisblad met de voornaamste gegevens en daarnaast de voorwaarden van de verzekering. Daarin heeft de verzekeraar geregeld welke rechten en plichten u en hijzelf hebben. Op de inhoud van zo'n standaardcontract kunt u nauwelijks invloed uitoefenen. U heeft slechts de keus de polis wel of niet af te sluiten onder de voorwaarden van de verzekeraar. Wel mogen de voorwaarden volgens de wet niet onredelijk of onbillijk zijn. Lees de polis en de voorwaarden goed door en controleer of alles klopt. Let erop of er opmerkingen bij zijn getypt of dat er wordt verwezen naar een apart clausuleblad. Denkt u dat met deze extra voorwaarden uw rechten worden beperkt, overleg dan met uw tussenpersoon of neem contact op met de verzekeraar.

Is er reden om te protesteren, doe dat dan direct. Vermeld in uw brief tegen welke bepaling u bezwaar maakt, welke redenen u daarvoor heeft en hoe u de polis gecorrigeerd wilt zien. Vraag direct om een gecorrigeerde polis.

Wacht niet op schade

Reclameert u pas over een onjuiste polis als u schade heeft, dan heeft u meestal uw rechten verspeeld.

Extra kosten

Bij het afsluiten van de verzekering worden meestal eenmalig poliskosten in rekening gebracht. Bovendien berekenen veel verzekeringsmaatschappijen en tussenpersonen bij de jaarlijkse premiebetaling administratiekosten. Bij de betaling per maand geldt vaak een toeslag.

Over zowel de premie als de kosten wordt sinds 1 maart 2013 21% assurantiebelasting geheven. Deze belasting hoeft niet betaald te worden bij:

- levensverzekeringen;
- ongevallen-, invaliditeits- en arbeidsongeschiktheidsverzekeringen;
- ziekte- en ziektekostenverzekeringen;
- werkloosheidsverzekeringen.

Premie

Als verzekerde moet u vooraf premie betalen. Betaal altijd op tijd, anders kan de verzekeraar de dekking opschorten. Dan keert hij niet uit als u schade lijdt. Gelukkig kan de verzekeraar niet zomaar opschorten. Dat is pas mogelijk nadat hij u aan uw schuld heeft herinnerd en u uitdrukkelijk heeft gewezen op de consequenties van te late betaling.

Wettelijk gezien heeft u na de aanmaning 14 dagen de tijd om de premie alsnog te betalen. Doet u dit, dan is er gewoon dekking. Doet u dit niet, dan mag de verzekeringsmaatschappij met terugwerkende kracht de dekking van de verzekering opschorten. Dit ontslaat u niet van de betalingsverplichting. De verzekeraar kan bij een betalingsachterstand de verzekering ook beëindigen.

Verzekeraars kunnen bij het bepalen van de premie fouten maken. Zo kan de inboedelverzekeraar u in een te dure regio hebben ingedeeld, de autoverzekeraar kan u een te lage bonuskorting geven bij een lange schadevrije periode en de zorgverzekeraar kan een te hoge leeftijdstoeslag berekenen. Vindt u dat u ten onrechte een te hoge premie in rekening is gebracht, dan kunt u daartegen protesteren. U kunt dan het best 'onder protest' de premie betalen om niet onverzekerd te raken en vervolgens het betwiste deel terugvragen.

Pakketverzekering?

U kunt ook meer verzekeringen bij één verzekeraar afsluiten. Deze pakketverzekeringen bestaan meestal uit ten minste een inboedel-, woonhuis- en aansprakelijkheidsverzekering. De woonhuisverzekering kan altijd inclusief glas worden afgesloten; bij de inboedelverzekering kan dat in de meeste gevallen. Bij sommige verzekeraars blijft het bij dit woonpakket, bij andere kunt u vrijwel alle denkbare (schade)verzekeringen in het pakket opnemen. Levensverzekeringen zijn maar zelden in het pakket opgenomen. Als ze erin zitten, gaat het meestal om een uitvaart- of overlijdensrisicoverzekering.

Een belangrijk argument voor een pakketverzekering is het gemak: u heeft maar met één verzekeraar te maken. Eén keer per jaar krijgt u een overzicht van al uw verzekeringen en van de premie die u dat jaar moet voldoen. Alle verzekeringspapieren en verzekeringsvoorwaarden zitten overzichtelijk bij elkaar in een map. Een extra voordeel heeft u als u deze premie zonder premieopslag in vaste maandelijkse termijnen kunt voldoen.

Een ander voordeel is dat u bij vrijwel alle verzekeraars voor een pakketverzekering minder poliskosten betaalt dan voor de losse verzekeringen samen. Een aantal maatschappijen geeft daarnaast nog korting op de premies. De hoogte van de korting is meestal afhankelijk van het aantal verzekeringen dat u bij de verzekeraar heeft afgesloten. Hoe meer verzekeringen, hoe hoger de korting. Bovendien geldt in het algemeen dat verzekeringen nogal wat overlappingen kennen (zie par. 1.2d). Heeft u deze verzekeringen bij dezelfde verzekeraar afgesloten, dan krijgt u bij een eventuele schade niet te maken met de discussie wie voor een bepaalde schade moet opdraaien.

Een mogelijk nadeel is dat het onderbrengen van al uw verzekeringen bij één verzekeraar lang niet altijd het voordeligst is. Een maatschappij met bijvoorbeeld een goede en niet te dure autoverzekering, heeft niet automatisch een even goede en voordelige inboedelverzekering. In de praktijk valt dit nadeel wel mee. Uit een vergelijking van de verschillende pakketten blijkt dat verzekeraars die bij losse verzekeringen voordelig zijn, dat ook zijn bij pakketverzekeringen. Zoekt u per verzekering de goedkoopste uit, dan bent u waarschijnlijk wel goedkoper uit, maar u loopt wel de voordelen van de pakketverzekering mis. De winst loont daardoor vaak de moeite niet. Voor verzekeringen met een hoge premie, zoals de autoverzekeringen of de arbeidsongeschiktheidsverzekering, moet u wel altijd op zoek gaan naar de voordeligste aanbieder. Het geld dat u hiermee uitspaart, maakt u over het algemeen niet goed met een pakketkorting.

1.3b   Zelf wijzigen

Er zijn verschillende momenten waarop u uw verzekering moet wijzigen. Bijvoorbeeld als u een verzekering wilt aanpassen aan uw veranderde persoonlijke omstandigheden of als u merkt dat uw verzekeringspakket niet goed aansluit op uw huidige situatie. Als uw gezinssituatie of woonomstandigheden wijzigen, doet u er goed aan dit door te geven aan uw verzekeraar.

Van een verhuizing moet u uw verzekeraar altijd op de hoogte stellen. Bij een woonhuisverzekering spreekt dat voor zich. U bent dan immers niet meer de eigenaar van het verzekerd object. Voor de nieuwe woning moet u een nieuwe verzekering afsluiten. Maar ook bij veel andere verzekeringen, zoals een inboedelverzekering, autoverzekering of fietsverzekering, is de ligging van de woning van invloed op de hoogte van de premie. Het is zelfs mogelijk dat de verzekeraar de nieuwe woning niet of alleen tegen een forse premieopslag accepteert. Denk hierbij aan een huis met een rieten dak of een appartement boven een snackbar.

Als uw auto ouder wordt dan vijf jaar, kunt u wellicht de dekking van volledig naar beperkt casco brengen. Is de auto erg oud, dan kunt u alleen een WA-verzekering overwegen. Bij een nieuwe auto hoort sowieso een nieuwe verzekering.

In al deze gevallen moet u uw verzekering aanpassen. Dat kan heel eenvoudig via een telefoontje naar de verzekeraar of uw tussenpersoon. Als u uw verzekering wilt aanpassen, hoeft u niet te wachten tot de nieuwe premietermijn of -vervaldatum; in veel gevallen zijn ook tussentijdse wijzigingen mogelijk.

Geweigerd

Als u geen schadeverleden heeft, kunt u de polis vrijwel altijd laten wijzigen. Maar heeft u wel een schadeverleden, dan kan de verzekeraar weigeren uw dekking uit te breiden. In beginsel kan een maatschappij altijd weigeren uw verzekering uit te breiden, want die uitbreiding wordt gezien als een nieuwe verzekering. Dit geldt ook bij verhuizing, omdat het verzekerd object wijzigt. Voor de woonhuisverzekering spreekt dat voor zich, maar de woning is, zoals gezegd, ook van essentieel belang voor de inboedel die zich daarin bevindt.

1.3c Wijziging door de verzekeraar

Meestal staat in de polis dat ook de maatschappij premies en/of voorwaarden mag wijzigen. Volgens de polis mag u in zulke gevallen vaak ook zelf de overeenkomst voortijdig beëindigen als u niet akkoord wilt gaan met de doorgevoerde wijziging. Zie verderop onder 'Zelf tussentijds opzeggen'.

Het komt ook voor dat de verzekeraar u een bericht stuurt dat hij de dekking zal uitbreiden of de verzekerde som zal verhogen, tenzij u laat weten dat u het daarmee niet eens bent. Doe dat wel op korte termijn.

U heeft hier wettelijk gezien minstens 30 dagen de tijd voor. Tegen dit systeem van ongevraagde wijziging (*negative option*, ofwel 'wie zwijgt stemt toe') heeft de Consumentenbond grote bezwaren.

Nieuwe, foute polis. Ook als er wijzigingen zijn aangebracht, moet u hiervan snel een bewijs in handen krijgen ten behoeve van het indienen van schadeclaims. Soms krijgt u een polisaanhangsel, soms een compleet nieuw polisblad. Als de verzekeraar niks opstuurt, vraag dan zelf om de nieuwe voorwaarden. Als de definitieve bevestiging lang dreigt te gaan duren, dien daarover dan een schriftelijke klacht in.

Controleer bij ontvangst van de nieuwe polis meteen of de gegevens die de verzekeringsmaatschappij u verstrekt, kloppen met uw eigen opgave. Klopt er iets niet, laat dit dan schriftelijk weten.

Overzicht polissen

Veranderingen kunnen in de loop der jaren een flinke papierwinkel veroorzaken, maar het is niet nodig alles te bewaren. Bewaar in ieder geval de originele polis en (recente) aanhangsels, de laatste versie van de polisvoorwaarden en eventuele betalingsbewijzen. Bewaar deze papieren liefst in een brandvrij kistje of in een kluisje bij uw bank.

Bewaar ergens anders een overzicht van uw verzekeringen, met de namen van de verzekeringsmaatschappijen, polisnummers en vervaldata.

1.3d   Opzeggen

Mogelijk wilt u, tussentijds of aan het eind van de looptijd, van een verzekering af, bijvoorbeeld omdat u die niet goed of te duur vindt. Ook een verzekeraar kan u willen royeren: u als verzekerde schrappen. In deze paragraaf behandelen we het aan het eind van de rit en tussentijds opzeggen van verzekeringen.

Zelf opzeggen bij einde verzekering
Op 1 januari 2010 is er een eind gekomen aan de stilzwijgende verlenging van de looptijd van verzekeringen. Bij particuliere schadeverzekeringen die na deze datum zijn afgesloten, is het uitgangspunt voortaan een contracttermijn van een jaar. U kunt de verzekering dan direct opzeggen met een opzegtermijn van maximaal een maand. U bent dus na afloop van de verzekeringstermijn vrij om over te stappen naar een andere ver-

zekeraar. De verzekeraar is verplicht u bij de afloop van de verzekering te wijzen op uw opzegrecht.

Deze regeling geldt overigens niet voor de zorgverzekering. Zorgverzekeraars informeren u elk jaar vóór 19 november tegen welke voorwaarden u het komend kalenderjaar verzekerd bent. U heeft dan tot en met 31 december om uw zorgverzekering op te zeggen. Vervolgens heeft u tot 1 februari de tijd om u aan te melden bij een nieuwe zorgverzekeraar.

U kunt ook een verzekering met een langere looptijd afsluiten, maximaal voor vijf jaar. U moet hier wel expliciet voor kiezen. U bent dan natuurlijk gebonden aan het contract en kunt zo'n verzekering niet zomaar opzeggen. Als een meerjarige verzekering aan verlenging toe is, wordt zij automatisch omgezet in een jaarcontract dat dagelijks opzegbaar is, met een opzegtermijn van maximaal een maand. U kunt dan uiteraard opnieuw kiezen voor een meerjarig contract.

Eerst zekerheid

Gooi geen oude schoenen weg voordat u nieuwe heeft. Zeg een noodzakelijke verzekering, zoals een overlijdensrisicoverzekering, nooit op voordat u er zeker van bent dat een andere verzekeraar u accepteert. Informeer altijd tijdig, dus ruim voordat uw opzegtermijn bij de huidige verzekeraar afloopt, of een nieuwe verzekeraar u accepteert. Pas als vaststaat dat dit op normale voorwaarden lukt, kunt u de oude verzekering (met inachtneming van de opzegtermijn) opzeggen. De meeste maatschappijen accepteren u ook op termijn. De verzekering gaat dan bijvoorbeeld pas twee maanden later in.

Zelf tussentijds opzeggen

Meestal kunt u de verzekering tussentijds zonder opzegtermijn opzeggen als de verzekeraar zijn premies verhoogt of de polisvoorwaarden in uw nadeel verandert. Maar een premieverhoging uitsluitend op grond van de indexclausule is voor u niet voldoende om tussentijds te kunnen opzeggen, net zomin als een hogere premie na een schade bij een autoverzekering of na het bereiken van een bepaalde leeftijd bij een zorgverzekering. Er zijn meer opzeggronden. Bij overlijden kunnen de erfgenamen de polis binnen negen maanden opzeggen met een opzegtermijn van een maand. Dit geldt overigens ook voor de verzekeraar. Bij veel verzekeraars kunt u ook opzeggen als een verzoek tot vergoeding van een schade is afgewezen. U kunt de verzekering dan binnen een maand na die afwijzing opzeggen.

Samenwonen (waardoor u een verzekering niet meer nodig heeft) is een veel geaccepteerde opzeggingsreden. Verder kunt u een woonhuisverzekering beëindigen bij verkoop van de woning en een autoverzekering als u de verzekerde auto heeft verkocht zonder deze te vervangen. Dit speelt, zoals gezegd, alleen in het eerste jaar. Daarna kunt u altijd opzeggen met een opzegtermijn van een maand.

Als u tussentijds wilt opzeggen, moet u berichten over premieverhogingen of wijzigingen in de polisvoorwaarden goed in de gaten houden. Reageer in zo'n geval snel. U heeft hiervoor 30 dagen de tijd.

Tip

Vraag een bevestiging!

Vraag altijd een schriftelijke bevestiging van uw opzegging. Bij bijvoorbeeld de autoverzekering is een royementsverklaring van groot belang in verband met het meenemen van uw korting naar een nieuwe verzekeraar.

De verzekeraar zegt op

De verzekeraar kan de verzekering ook tussentijds opzeggen. Gelukkig wordt de consument tegenwoordig wettelijk goed beschermd. De verzekering kan door de verzekeraar alleen worden opgezegd op in de overeenkomst vermelde gronden die van dien aard zijn dat gebondenheid aan de overeenkomst niet meer van de verzekeraar kan worden gevergd. Met andere woorden: u moet het als verzekerde wel erg bont hebben gemaakt, bijvoorbeeld elke paar maanden claimen op uw inboedelverzekering.

De verzekeraar mag een persoonsverzekering (zorg-, arbeidsongeschiktheids- of woonlastenverzekering) niet beëindigen als uw gezondheid achteruit is gegaan of als u vaak claimt. De opzegtermijn bedraagt twee maanden. Royeert de verzekeraar u wegens (een poging tot) misleiding, dan is hij niet gebonden aan de opzegtermijn. Overigens is het altijd beter zelf op te zeggen dan eruit te worden gegooid. Uw kans op acceptatie bij een nieuwe verzekeraar is een stuk kleiner als u door uw vorige verzekeraar uit de verzekering bent gezet.

Zwarte lijst

Als verzekeraars merken dat een klant de boel probeert te flessen, zetten ze zijn verzekering stop. De klant wordt geregistreerd in het interne verwijzingsregister, dat alleen toegankelijk is voor de eigen medewerkers. Die klant kan nieuwe verzekeringen bij die maatschappij wel vergeten.

Naast de eigen registers beschikken de Nederlandse verzekeraars over een gezamenlijke database met meldingen en royementen: de Stichting Centraal Informatie Systeem (CIS, www.stichtingcis.nl). Hierin worden alle schademeldingen (claims) opgenomen die bij verzekeraars en gevolmachtigd agenten worden ontvangen. Het maakt daarbij niet uit wie er schuld heeft aan de schade of dat een schade niet gedekt is volgens de voorwaarden. Het gaat puur om de registratie van het feit dat iemand een beroep doet op zijn verzekering. Van iedere claim worden de feitelijke gegevens en de persoonsgegevens van de betrokkenen vastgelegd.

Verder kunt u in deze database terechtkomen als uw rijbewijs is ingenomen of als u met een onverzekerd voertuig schade heeft veroorzaakt. Deze gegevens worden na vijf jaar automatisch verwijderd. Met zo'n vermelding is het lastig om elders een autoverzekering af te sluiten.

CIS kent ook de categorie 'Speciale meldingen' voor mensen die bewust over de schreef zijn gegaan. Het gaat vooral om fraude en oplichting, maar ook om het verzwijgen van belangrijke gegevens of een strafblad. Een vermelding op deze lijst blijft acht jaar staan.

Als u wilt weten of u in de databank bent opgenomen, moet u op de website van CIS het webformulier invullen of het inzageformulier uitprinten, invullen en opsturen. Stuur een leesbare kopie van een geldig legitimatiebewijs mee.

Kloppen de gegevens niet? Dan kunt u een verzoek tot correctie indienen. Als daar niet op wordt ingegaan, kunt u een klacht indienen bij de klachtencommissie van de betrokken verzekeraar. Heeft u dat gedaan zonder dat het iets heeft opgeleverd, dan kunt u bij het Klachteninstituut Financiële Dienstverlening (Kifid, www.kifid.nl) om hulp vragen. Uiteraard kunt u de zaak ook voorleggen aan de rechter, maar dat is een lange en kostbare weg.

1.3e   Schade

Deze paragraaf gaat over het onverhoopte geval dat u schade krijgt en de verzekering wilt aanspreken.

Schade voorkomen

Het is een open deur misschien, maar als verzekerde moet u het risico op schade zo veel mogelijk voorkomen en beperken. De verzekeraar kan immers een schadevergoeding weigeren of beperken als hij u nalatigheid kan verwijten: uw fiets stond niet op slot, uw kostbare fototoestel lag in de auto enzovoort.

In het laatste geval kan de verzekeraar een vergoeding weigeren, omdat het algemeen bekend is dat diefstal uit (geparkeerde) auto's op grote schaal plaatsvindt. Vanwege de vele diefstallen uit auto's wordt deze schade in de polisvoorwaarden meestal uitdrukkelijk uitgesloten van dekking. Dit geldt vooral voor kostbaarheden, geld en geluids-, foto- en videoapparatuur. Reis-, inboedel- en kostbaarhedenverzekeraars vergoeden diefstal uit een geparkeerde auto tegenwoordig alleen onder bepaalde voorwaarden. Een verzekeraar kan ook een beroep doen op 'onvoldoende zorg', bijvoorbeeld bij onvoldoende afgesloten pleziervaartuigen of onvoldoende maatregelen ter voorkoming van vorstschade aan boten of huizen.

Tip

Zorgvuldig

Spring zorgvuldig om met uw spullen en met uzelf. Neem geen onnodige risico's en lok geen diefstal of schade uit door zorgeloosheid. Zorg verder dat uw (kostbare) eigendommen geregistreerd zijn. Dat werkt makkelijker bij diefstal, zowel voor de verzekeraar als voor de politie. Maak foto's en registreer alles op een lijst, denk aan het merk, het type- en serienummer en uiterlijke bijzonderheden. Bewaar de aankoopnota's en garantiebewijzen van duurdere spullen ook na de garantieperiode.

Schade vergoed krijgen

Als u schade heeft geleden, wilt u die van de verzekering vergoed krijgen. Wat moet u dan zelf doen en wat kunt u van uw verzekeraar verwachten? Wilt u aanspraak maken op vergoeding, controleer dan eerst de voorwaarden. Het is gebruikelijk dat daarin de risico's worden opgesomd die onder de dekking vallen, maar ook de uitsluitingen. Als een vorm van schade niet uitdrukkelijk in de dekking is inbegrepen of onder de uitsluitingen is genoemd, kunt u geen aanspraak maken op vergoeding.

Daarnaast zijn er wettelijke uitsluitingen, bijvoorbeeld een eigen gebrek of grove schuld van de verzekerde.

In de verzekeringspolis staat ook aan welke formaliteiten u moet voldoen. Veel verzekeraars verplichten u binnen 72 uur de schade te melden en bij diefstal aangifte te doen bij de politie.

Simpelweg schadevergoeding eisen kan niet. U moet kunnen bewijzen dat u schade heeft geleden door een voorval waartegen de polis dekking bood, dat er een rechtstreeks verband bestaat tussen het voorval en de schade, dat u het beschadigde goed in bezit had, dat de schade echt zo groot was als u heeft aangegeven enzovoort.

Bij diefstal of verlies moet u het bezit en de waarde van de verloren voorwerpen aannemelijk kunnen maken, bijvoorbeeld met aankoopnota's en garantiebewijzen. Denk ook aan bankafschriften, reparatienota's, taxatierapporten, foto's waarop de verloren voorwerpen afgebeeld zijn of getuigenverklaringen.

Heeft u geen tussenpersoon of rechtsbijstandsverzekering, dan moet u de veroorzaker van door u geleden schade in een brief aansprakelijk stellen. Stuur een kopie naar zijn verzekeraar, als u weet wie dat is. Meld ook bij uw eigen verzekeraar dat u schade heeft.

Als u een ander schade heeft toegebracht, moet u dit bij uw verzekeraar melden. Hij weet dan dat hij een claim kan verwachten van de tegenpartij.

Tip

Schakel anderen in

Heeft u uw verzekeringen via een tussenpersoon afgesloten? Schakel hem dan in bij schade. De Consumentenbond vindt dat hij u hoort te helpen bij schade en bij het invullen van schadeformulieren. Let wel op, want er zijn ook tussenpersonen die deze hulp alleen bieden als u een serviceabonnement heeft afgesloten.

Heeft u een rechtsbijstandsverzekering, dan kunt u daar natuurlijk ook een beroep op doen.

Hoogte schadevergoeding

Heeft u de claim ingediend, dan moet u het met de verzekeraar eens worden over de hoogte van de vergoeding. Bij schade van enige omvang wordt vaak een expert ingeschakeld die moet rapporteren over de oorzaak en de omvang van de schade. Probeer zo goed mogelijk te voldoen aan verzoeken om inlichtingen van de verzekeraar of de expert. Als u het niet eens bent met de expert, kunt u een contra-expert inschakelen. Bij woonhuisverzekeringen neemt de verzekeraar doorgaans ook de kosten van de contra-expert voor zijn rekening. Neem hierover contact op met uw tussenpersoon of met de verzekeraar.

Tip

Contra-expertise

Bij verkeersschade, met name bij schade aan pleziervaartuigen en caravans, zal de ANWB vaak contra-expertise verrichten.

Een verzekerde mag wettelijk gezien geen vergoeding ontvangen die hoger is dan de schade die hij heeft geleden. Dit indemniteitsbeginsel is ingevoerd om fraude tegen te gaan. Het geldt niet als de waarde bij het afsluiten van de verzekering is vastgesteld na taxatie door een deskundige. Natuurlijk moeten beide partijen wel vooraf hebben afgesproken de waarde via taxatie te laten vaststellen. De verzekeraar moet bij schade dan uitgaan van de getaxeerde waarde. De taxatie heeft een vooraf vastgestelde maximumduur. Daarna moet het goed opnieuw getaxeerd worden. Doet u dat niet, dan gaat de verzekeraar bij een schade uit van de dagwaarde. Overigens wordt het indemniteitsbeginsel soepel toegepast. Bij de inboedel- en opstalverzekering krijgt u bij totaalverlies (bijvoorbeeld bij verlies of diefstal) in principe de nieuwwaarde uitgekeerd. Bij schade gaat men er dan op vooruit. Hetzelfde geldt bij de autoverzekering als u de auto in het eerste jaar total loss rijdt.

Tip

Klagen heeft zin

Als de hoogte van de vergoeding tegenvalt, heeft klagen bij de verzekeraar zeker zin. De verzekeraars geven zelf aan dat ze, als de verzekeringnemer niet akkoord gaat met de aangeboden vergoeding, vrij vaak overgaan tot het verhogen van de uitkering. Soms omdat de verzekerde in zijn recht staat, maar vaak ook uit coulance.

Taxatie. Voor de taxatie kunt u een taxateur inschakelen die lid is van de Federatie van taxateurs makelaars veilinghouders in roerende zaken (Federatie TMV, www.federatie-tmv.nl). Voor een gespecialiseerde taxatie kunt u zich ook wenden tot een gewone handelaar, bijvoorbeeld een juwelier, postzegelhandelaar, bonthandelaar of antiquair.

Gewoonlijk kost zo'n taxatie een percentage van de getaxeerde waarde, in andere gevallen geldt een uurtarief. Bij (zeer) kostbare sieraden en goedkope, eenvoudig te taxeren zaken is een uurtarief meestal voordeliger. Een percentage is vaak voordeliger bij voorwerpen van minder waarde, bijvoorbeeld zilverwerk, waarvan de taxatie tijdrovender is.

Voor de kosten van een taxatie van antiek en inboedelgoederen moet u rekenen op circa 1,5% van de getaxeerde waarde. Hier kunnen nog kosten voor aanvullend onderzoek bij komen. Vraag dus altijd vooraf een kostenopgaaf en overweeg goedkopere alternatieven.

In het taxatierapport moet het getaxeerde goed zo nauwkeurig mogelijk worden omschreven, evenals het gekozen waardebegrip en de schatting van de waarde.

Tip

Check acceptatie van de taxatie

Controleer vooraf of de verzekeraar het rapport van uw handelaar of taxateur als voortaxatie aanvaardt. Mogelijk weigert hij rapporten van taxateurs met wie hij slechte ervaringen heeft.

Nieuwwaarde en dagwaarde. Als herstel mogelijk is, kunt u op kosten van de verzekeraar uw spullen laten repareren. Als dat niet kan of niet meer lonend is, keert de verzekeraar in beginsel de waarde onmiddellijk voorafgaand aan de schade uit.

Inboedelverzekeraars vergoeden meestal op basis van de nieuwwaarde. Voor spullen die onmiddellijk voorafgaand aan de schade maximaal 40% van de nieuwwaarde waard waren, hoeft de verzekeraar slechts de dagwaarde uit te keren. Voor antiek en dergelijke geldt de zeldzaamheidswaarde. De woonhuisverzekering vergoedt herbouw- of reparatiekosten.

Autoverzekeringen vergoeden de reparatiekosten, tenzij deze kosten hoger zijn dan de dagwaarde van de auto. Bij total loss in het eerste jaar krijgt u altijd de nieuwwaarde uitgekeerd. Een aantal verzekeraars verlengt deze termijn naar twee of drie jaar. Daarna krijgt u de nieuwwaarde minus een per maand hoger wordende afschrijving. Nog een paar jaar verder wordt de dagwaarde uitgekeerd. Zie par. 3.1d.

Een aansprakelijkheidsverzekering gaat altijd uit van de dagwaarde.

Traagheid en vergoeding

Loopt uw verzekering via een tussenpersoon en bent u ontevreden over
de snelheid van de afwikkeling? Vraag hem dan druk uit te oefenen op
de verzekeraar.

Heeft u de verzekering rechtstreeks bij de verzekeraar afgesloten? Schrijf
dan een brief aan de verzekeraar, waarin u hem sommeert de vergoeding binnen 14 dagen over te maken. U kunt in deze brief alvast wettelijke rente eisen en eventueel aangeven welke verdere stappen u gaat
ondernemen.

U kunt zo'n brief ook gebruiken voor het aanmanen van de maatschappij van de tegenpartij.

1.3f Klagen

De meeste klachten bij verzekeringen gaan over schade. Wat als uw schadegeval volgens u niet eerlijk is behandeld? Waar moet u dan naartoe met uw klacht? Controleer eerst uw polis nog eens. Misschien wordt uw claim inderdaad niet of maar ten dele gedekt.

Houdt u vragen, schrijf dan de verzekeraar aan (of de tussenpersoon, als u die heeft). Vraag op welke polisvoorwaarden en ander materiaal hij zich baseert, vraag inzage in rapporten en dring aan op een gemotiveerde, schriftelijke reactie.

Tip

Meer informatie

Op de site van de Consumentenbond en op www.allesoververzekeren. nl vindt u nog veel meer informatie over verzekeren. En op www.consumentenbond.nl/juridisch-advies/voorbeeldbrieven vindt u allerlei handige voorbeeldbrieven.

Er onderling uit komen

Financiële instellingen zijn wettelijk verplicht een interne klachtenprocedure te hebben. Daarin staat wat u moet doen als u een klacht heeft en dat de onderneming uw klacht binnen een redelijke termijn zorgvuldig moet behandelen. U vindt deze informatie in de algemene voorwaarden of in de overeenkomst van het financiële product. Soms staat de klachtenprocedure ook op de website. Bekijk deze informatie voordat u tot actie overgaat.

Heeft u voor uw klacht behoefte aan voorlichting, dan kunt u telefonisch terecht bij de Toezichtslijn van DNB (0800 – 020 10 68) en de AFM (0800 – 540 05 40).

Leg uw klacht altijd eerst zo snel mogelijk voor aan de verzekeraar. Leg duidelijk uit waarover u ontevreden bent. Wat waren uw verwachtingen en wat valt er tegen? Blijf vooral vriendelijk. Dreigen, beledigen of boos worden werkt meestal averechts.

Verdere stappen

Komt u er met de verzekeraar niet uit, dan kunt u uw klacht bij een externe partij neerleggen. Er zijn verschillende instellingen die u kunt benaderen.

Voor klachten over zorgverzekeringen kunt u terecht bij de Stichting Klachten en Geschillen Zorgverzekeringen (SKGZ; zie hierna). Klachten over schade-, levens- en natura-uitvaartverzekeringen kunt u voorleggen aan het Kifid (zie hierna). Hetzelfde geldt voor klachten over bijvoorbeeld hypotheken of kredieten. Dit is erg handig, vooral omdat hypotheken vaak uit een lening en een levensverzekering bestaan. U kunt dan bij één loket terecht.

Stichting Klachten en Geschillen Zorgverzekeringen (SKGZ). De SKGZ is een onafhankelijke en onpartijdige organisatie die helpt bij problemen tussen klanten en zorgverzekeraars. Alle zorgverzekeraars in Nederland zijn bij de SKGZ aangesloten en u kunt er als klant terecht met klachten over de basis- en de aanvullende verzekering.

Onder de SKGZ vallen de ombudsman Zorgverzekeringen en de Geschillencommissie Zorgverzekeringen. De ombudsman zal eerst bemiddelen tussen u en de zorgverzekeraar. Dat is gratis. Komt u er nog steeds niet uit, dan wordt uw klacht voorgelegd aan de Geschillencommissie Zorgverzekeringen.

Deze geschillencommissie is onafhankelijk en doet uitspraak in de vorm van een bindend advies. U betaalt €37 entreegeld, dat u later mogelijk terugkrijgt. Als u het niet eens bent met het bindende advies van de geschillencommissie, kunt u dit ter toetsing aan de rechter voorleggen. Het kan handig zijn om voordat u naar de SKGZ stapt de Nederlandse Zorgautoriteit (NZa; www.nza.nl) te raadplegen. Zij houdt namelijk toezicht op zorgverzekeringen. De NZa heeft een informatielijn waar u terechtkunt met vragen over (de uitvoering van) de Zorgverzekeringswet (ZVW), de Algemene wet bijzondere ziektekosten (AWBZ) en de Wet marktordening gezondheidszorg (WMG) (0900 – 770 70 70, €0,05 per minuut, bereikbaar van 9.00 tot 14.00 uur). U kunt hier terecht met vragen over de volgende onderwerpen:

- tarieven van zorgaanbieders, zoals huisartsen, tandartsen en ziekenhuizen;
- rekeningen van zorgaanbieders;
- de rechtmatigheid van declaraties;
- de acceptatieplicht door zorgverzekeraars;
- de informatievoorziening door zorgverzekeraars;
- de rechtmatigheid van de polisvoorwaarden.

Bij de NZa kunt u ook melding maken van mogelijke overtredingen van zorgverzekeraars, -kantoren of -aanbieders op de WMG, AWBZ en ZVW. Dit kan via het meldpunt op www.nza.nl.

De NZa bewaakt het algemeen consumentenbelang, maar bemiddelt niet in individuele conflicten tussen consumenten en zorgaanbieders of -verzekeraars, en ook niet tussen zorgaanbieders en -verzekeraars onderling.

Kifid. Het Kifid bemiddelt in geschillen tussen consumenten en banken, verzekeraars, intermediairs en andere financiële dienstverleners. Verzekeraars zijn wettelijk verplicht zich bij het Kifid aan te sluiten. Meld uw klacht binnen drie maanden schriftelijk bij het Kifid. Download daartoe het klachtenformulier op www.kifid.nl en stuur het op naar Kifid, Postbus 93257, 2509 AG Den Haag. Stuur ook een kopie van uw klacht naar de AFM. Uw ervaring is belangrijk om goed toezicht te kunnen houden.

De Financiële ombudsman beoordeelt uw klacht. Als hij deze gegrond acht, komt hij bij de dienstverlener voor uw belangen op, maar zijn bemiddelingsvoorstel is niet bindend. Het inschakelen van deze ombudsman is gratis.

Als de bemiddeling geen resultaat heeft, kunt u naar de geschillencommissie van het Kifid stappen. Dat moet binnen drie maanden na het voorleggen van uw klacht aan het Kifid. Alleen klachten met een minimaal belang van €150 worden door de geschillencommissie in behandeling genomen. Een behandeling door de geschillencommissie kost €50 als de ombudsman de klacht (deels) gegrond heeft bevonden en €100 als de ombudsman de klacht ongegrond heeft bevonden. De geschillencommissie doet een bindende uitspraak.

Beide partijen kunnen in beroep gaan tegen de uitspraak van de geschillencommissie. Het geschil moet dan binnen zes weken na de uitspraak worden voorgelegd aan de Commissie van Beroep. Hiervoor geldt een hoge financiële drempel: het moet gaan om meer dan €25.000 of het belang voor de betrokken bedrijfstak moet minstens €5 miljoen bedragen. Behandeling van de klacht door deze commissie kost €500.

Niet eerst naar de rechter

De Financiële ombudsman en de geschillencommissie van het Kifid nemen geen klachten in behandeling die ook aan een rechter of een andere geschilleninstantie zijn voorgelegd.

Buitenlandse verzekeraar

Ook als u er met een buitenlandse verzekeraar niet uitkomt, kunt u een klacht indienen bij het Kifid. De Financiële ombudsman neemt contact op met de ombudsman in het land van de betrokken dienstverlener om uw klacht daar te laten behandelen. Voorwaarde is wel dat het gaat om een dienstverlener in een land dat is aangesloten bij de Europese Economische Ruimte (EER). Financiële ombudsmannen van die landen hebben zich verenigd in het Financial Dispute Resolution Network.
U kunt uw klacht ook rechtstreeks bij de financiële ombudsman uit het land van de betrokken dienstverlener indienen.

Hulp van anderen
Naast de hiervoor genoemde instellingen kunt u op andere plaatsen hulp vragen. Bent u lid van een vakvereniging, dan kunt u zich wenden tot de juridische dienst van die vereniging. U kunt verder aankloppen bij een Bureau voor Rechtshulp of wetswinkel in uw buurt. Voor hulp na verkeersongevallen kunt u terecht bij de Verkeersslachtofferlijn van de ANWB (088 – 269 77 66), ook als u geen lid bent.
Voor principiële en belangrijke zaken ten slotte kunt u uiteraard altijd de (moeilijke) weg naar de rechter bewandelen (zie hierna).
Slachtofferhulp Nederland (www.slachtofferhulp.nl) kan u helpen als u een nare ervaring heeft als gevolg van onder meer inbraak, vernieling, diefstal, beroving, mishandeling, brand of een verkeersongeval. Zo nodig worden andere hulpverleners ingeschakeld en wordt informatie

gegeven over mogelijkheden tot schadevergoeding, bijvoorbeeld bij een verzekeringsmaatschappij, het Schadefonds Geweldsmisdrijven (www.schadefonds.nl) of het Waarborgfonds Motorverkeer (www.wbf.nl).

Naar de rechter

Bij een geschil over een uitkering, premie of andere gevallen waarvan u meent dat de verzekeringsovereenkomst niet goed is nagekomen, kunt u uw gelijk ook via de rechter proberen te halen. Bij de kantonrechter is rechtskundige bijstand niet verplicht. De overheid biedt in sommige gevallen gefinancierde rechtshulp (zie www.overheid.nl, zoek op 'gesubsidieerde rechtsbijstand'). Soms kunt u voor een korte oriëntatie tegen gereduceerd tarief bij een advocaat terecht.

U kunt zich wenden tot de kantonrechter, respectievelijk de arrondissementsrechtbank. Bij een kantongerechtsprocedure mag het bedrag waar de zaak om draait niet hoger zijn dan €25.000. Gaat het om hogere bedragen, dan moet u naar de arrondissementsrechtbank, waarvoor bijstand van een advocaat verplicht is.

Tip: Zelf doen

U hoeft geen deurwaarder in te schakelen om iemand te dagvaarden. Dat doet u zelf met een speciaal formulier, dat onder meer verkrijgbaar is bij het kantongerecht, vakbonden, Bureaus voor Rechtshulp, wetswinkels en de Consumentenbond.

U kunt het formulier zelf invullen en opsturen naar de griffier van het kantongerecht, waarna u een acceptgiro krijgt om de griffierechten te betalen. Als de griffier uw geld heeft ontvangen, stuurt hij het formulier aangetekend naar de tegenpartij. Deze regeling geldt niet als de vestigingsplaats van de tegenpartij niet bekend of niet in Nederland is. De tegenpartij heeft ten hoogste vier weken de tijd om op uw eis te antwoorden; bij een normale dagvaarding is dat acht dagen. Antwoorden kan mondeling op de zitting of in een brief aan de kantonrechter. Zolang de tegenpartij niet heeft geantwoord, kunt u vóór of op de eerste zitting uw vordering intrekken, bijvoorbeeld omdat u de hele zaak toch niet ziet zitten. U krijgt dan uw geld terug.

02

HUIS
&
SPULLEN

Uw huis is meestal uw belangrijkste bezit. Natuurlijk wilt u dat bezit en de spullen die erin staan verzekeren.

Er is een aantal verzekeringen die betrekking hebben op uw huis en de spullen die daarin staan. We beginnen met de verzekering die schade aan uw huis dekt: de woonhuisverzekering (vroeger opstalverzekering genoemd). Daarna komen de verzekeringen aan bod die met de spullen in dat huis te maken hebben: de inboedelverzekering (par. 2.2), de buitenshuisdekking (par. 2.3) en de kostbaarhedenverzekering (par. 2.4). Voor schade die u aan spullen van een ander veroorzaakt, is de aansprakelijkheidsverzekering voor particulieren (AVP) bedoeld. Die behandelen we in par. 2.5.

De woonlastenverzekering wordt in hoofdstuk 4 behandeld, omdat dit een inkomensverzekering is en geen verzekering voor uw huis of inboedel.

Standaarduitsluitingen

Er is een aantal risico's die door geen enkele schadeverzekering worden vergoed. Deze standaarduitsluitingen vallen altijd buiten de dekking van de verzekering. Standaarduitsluitingen zijn:

- overstroming;
- molest;
- aardbeving;
- vulkaanuitbarsting;
- atoomkernreacties.

2.1 Schade aan uw huis

Als u een eigen woning heeft, kunt u niet zonder een woonhuisverzekering. U wilt ook na schade in uw huis kunnen blijven wonen. Brand-, storm- en waterschade kunnen zo omvangrijk zijn dat u die niet uit eigen zak kunt betalen. Uw hypotheekverstrekker stelt zo'n verzekering overigens verplicht.

Tip

Besparen?

Wilt u op de premie van de woonhuisverzekering besparen, kies dan niet voor een uitgeklede dekking maar ga op zoek naar een voordelige verzekeraar. Bij een goedkope verzekeraar kunt u, uitgaande van dezelfde woning en woonplaats, voor een vrijwel identieke dekking de helft minder premie kwijt zijn dan bij een dure verzekeraar.

De woonhuisverzekering is ooit begonnen als een brandverzekering, maar is in de loop der jaren steeds verder uitgebreid. Tegenwoordig worden vrijwel alleen nog de extra uitgebreide woonhuisverzekering (zie par. 2.1a) en de allriskwoonhuisverzekering (zie par. 2.1b) aangeboden. Een opstalverzekering is overigens hetzelfde als een woonhuisverzekering. Deze verzekeringen bieden een uitgebreide dekking bij onheil, zoals brand- en blusschade, rook- en roetschade, schade door een ontploffing, wateroverlast, weersomstandigheden als bliksminslag, storm, neerslag en vorst, inbraak en diefstal.

Schade is alleen verzekerd als het om een 'onzeker voorval' gaat. Groeien er paddenstoelen in de keukenkastjes vanwege optrekkend vocht of worden de balken van uw huis door boktor weggevreten, dan zijn dat sluipende processen en die tellen niet mee. Ook schade door slijtage of achterstallig onderhoud keert de verzekering niet uit.

Stormschade

Stel: het stormt en er waait een stel pannen van het dak. Binnen ontstaat lekkage en het parket is geruïneerd. Wat krijgt u dan vergoed? De voornaamste vraag is of de schade veroorzaakt is door de storm. De verzekeraar gaat er namelijk van uit dat een goed onderhouden huis geen schade zal oplopen bij harde wind. Hij vergoedt dus alleen als er een echte storm in het spel is. De grens ligt bij windkracht 7. Bij lagere windsnelheden moet u zelf de portemonnee trekken.

Bij storm dekt de verzekeraar niet alleen de schade aan het dak, maar ook aan de vloer en de inboedel. De laatste twee zal hij waarschijnlijk ook vergoeden als het alleen heel hard waaide (maar minder dan windkracht 7). Als bij een storm door achterstallig onderhoud het hele dak in elkaar stort, zal de verzekeraar nagaan in hoeverre de schade is verergerd door het achterstallig onderhoud. Hij zal dan naar rato uitkeren.

2.1a   Extra uitgebreide woonhuisverzekering

Deze verzekering betreft schade aan de woning. Daartoe worden ook aanbouwsels en bijgebouwen, zoals een schuur, kelder, garage of berging, gerekend. Hetzelfde geldt voor terreinafscheidingen. Centrale verwarmingsinstallaties, vaste parketvloeren en inbouwkeukens horen ook tot de woning.

Vast of los?

Een zwevend parket en losse vaatwasser behoren tot de inboedel, maar een vast parket en een ingebouwde vaatwasser horen tot het woonhuis.

Meestal vallen ook de fundamenten van het huis in de dekking, maar dat is niet altijd het geval. Niet tot de eigenlijke woning behorende onderdelen, zoals antennen, zonweringen en vlaggenmasten, zijn niet altijd meeverzekerd. Schade aan de beplanting en bestrating valt ook buiten de gewone dekking. Er is daarvoor meestal wel dekking als de schade het gevolg is van brand, diefstal, aanrijding of aanvaring. Ook als de beplanting beschadigd raakt bij het blussen van een brand of het opruimen van de verwoeste woning, zal de verzekeraar over de brug komen. Als de schade het gevolg is van storm, regen of sneeuw doet hij dit niet. De standaardverzekering kent de volgende dekkingen (verderop gaan we dieper op bepaalde dekkingen in):

- brand en brandblussing;
- blikseminslag;
- ontploffing;
- (poging tot) inbraak;
- diefstal van onderdelen van de woning, voor zover ze er vast aan verbonden waren (bijvoorbeeld een buitenlamp);
- vandalisme na binnendringen;
- storm: hierbij is meestal sprake van een eigen risico;
- regen, sneeuw en smeltwater dat is binnengedrongen via daken, balkons en vensters;
- schade door neerslag die bij een stortbui via de begane grond het huis binnendringt. Dit geldt doorgaans niet als het water door openstaande deuren of ramen binnenkomt;
- schade door water dat is binnengedrongen via de openbare riolering. Schade door grondwater en door het doorslaan van muren is uitgesloten;
- lekkages uit waterleiding en daarop aangesloten machines en sanitair, alsmede uit de cv-installatie;
- bij waterschade als gevolg van het springen door vorst, breuk of plotseling defect van leidingen of installaties: de kosten van hak-, breek- en herstelwerk aan muren, vloeren en dergelijke dat nodig is om de lekkage aan leidingen en installaties op te sporen;
- bij waterschade als gevolg van het springen door vorst, breuk of plotseling defect van leidingen of installaties: de kosten van reparatie van die leidingen en installaties zelf;
- lekkages uit leidingen en tanks van oliegestookte verwarming;
- breuk en overlopen van aquaria en waterbedden;
- aanrijding en aanvaring;
- neerstortende vliegtuigen en voorwerpen die uit vliegtuigen zijn gevallen;

- schade door het omvallen van heistellingen en hijskranen;
- schade door het omvallen van bomen;
- schade aan de woning als gevolg van rellen.

Bij sommige verzekeraars is het omvallen van heistellingen en/of bomen niet gedekt. Valt een boom om als gevolg van een storm (hetgeen waarschijnlijk de meestvoorkomende oorzaak is), dan is er toch dekking. U krijgt dan wel te maken met het eerdergenoemde eigen risico bij stormschade.

Belangrijk is verder dat de verzekering voorziet in een aantal aanvullende uitkeringen boven de verzekerde som. Stel dat de herbouwwaarde van uw woning €200.000 is. Als uw huis afbrandt, keert de verzekeraar €200.000 uit. Daarnaast doet hij een of meer uitkeringen voor:

- huurderving, waarbij het niet uitmaakt of u het huis daadwerkelijk aan derden heeft verhuurd;
- vergoeding van schade aan tuinaanleg en beplanting, mits die schade niet het gevolg is van storm, regen, diefstal of vandalisme;
- expertisekosten (zie par. 1.3e);
- opruimingskosten;
- kosten gemaakt ter voorkoming en/of vermindering van de schade.

Deze uitkeringen komen boven op de verzekerde €200.000. Daarom spreken we hierbij van 'uitkeringen boven de verzekerde som'.

Enkele van deze kosten zijn per soort gemaximeerd tot bijvoorbeeld 10% van de verzekerde som. Voor tuinaanleg en dergelijke kunnen afzonderlijke maxima gelden.

Verschillen

Op hoofdpunten is de dekking bij de verschillende verzekeraars gelijk. Toch zijn er ook verschillen. Lees daarom de polisvoorwaarden goed door en vergelijk ze.

Veel aanbieders beperken de dekking bij een verbouwing en leegstand (zie het kader 'Leegstand en verbouwing' op pag. 66).

Schade als gevolg van rook en roet uitgestoten door een op een schoorsteen aangesloten open haard is meestal wel gedekt. Maar dat is lang niet altijd het geval als de schade ontstaat door een drooggekookte pan.

Dekking van waterschade is belangrijk in ons land. Schade door over-stromingen is niet gedekt. Schade door het overlopen van riolen en waterkeringen als gevolg van hevige plaatselijke regelval wordt door de meeste verzekeraars wel gedekt. Onder hevige plaatselijke regen-val wordt verstaan: neerslag van ten minste 40 mm in 24 uur, 53 mm in 48 uur of 67 mm in 72 uur op en/of nabij de locatie waar de schade is ontstaan. Helaas is deze regeling niet standaard. Een belangrijk aandachtspunt.

De meeste verzekeraars sluiten schade uit die is ontstaan door neer-slag die door een open raam is binnengekomen. Andere breiden deze uitsluiting uit tot schade door neerslag via de dakgoot. Er zijn ook enkele verzekeraars die geen van beide uitsluitingen hanteren.

2.1b   Allriskwoonhuisverzekering

De allriskwoonhuisverzekering dekt in principe de schade aan de woning door 'elk plotseling van buiten komend onheil'. De dekking van de ver-zekering bestaat uit twee delen: de standaarddekking, die overeenkomt met die van de extra uitgebreide vorm, en een dekking voor alle niet-genoemde risico's. Dit zijn alle risico's die niet onder de standaarddekking vallen en die niet expliciet zijn uitgesloten. Er is nog wel een belangrijke beperking: een schadeverzekering dekt alleen een plotseling optredend van buiten komend onheil.

De standaarduitsluitingen blijven ook nu van kracht. Daarnaast hebben de verzekeraars een groot aantal aanvullende uitsluitingen opgenomen, specifiek voor het allriskrisico. Deze uitsluitingen verschillen van ver-zekeraar tot verzekeraar.

Schade als gevolg van slijtage of eigen gebrek is bij het allriskrisico door-gaans uitgesloten. Toch zal de verzekeraar, als uw woning afbrandt door slecht onderhoud, overgaan tot uitkering. Brand valt namelijk onder de standaarddekking.

Overigens hanteren nogal wat verzekeraars voor schaden die onder het allriskrisico vallen een eigen risico, uiteenlopend van €45 tot €150.

Allrisk of extra uitgebreid?

Stel, u laat een emmer sop op de parketvloer vallen. Welke verzekering dekt de schade? Een extra uitgebreide woonhuisverzekering dekt alleen water uit waterleidingen en neerslag (zie par. 2.1a). Een allriskpolis dekt élk onheil, behalve wat expliciet is uitgesloten in de voorwaarden. De omgevallen emmer sop valt dus wel onder een allriskdekking, maar niet onder de extra uitgebreide dekking: het water komt immers niet uit een leiding.

Kijk je maar naar één aanbieder, dan biedt de allriskverzekering altijd een betere dekking dan de extra uitgebreide. De premie is ook altijd hoger. Vergelijk je verzekeraars onderling, dan is het beeld heel anders. Een extra uitgebreide verzekering van de ene aanbieder kan betere voorwaarden hebben dan een allriskdekking van de andere aanbieder. Ook de prijs verschilt nogal. Bij de Woonverzekeringvergelijker op onze site staan de allriskverzekeringen en de extra uitgebreide verzekeringen daarom door elkaar (www.consumentenbond.nl/woonverzekering).

2.1c Stormschade

In ons winderige landje is schade als gevolg van storm een belangrijke kostenpost voor woonverzekeraars. De verzekeraars spreken van storm bij een windsnelheid van ten minste 14 meter per seconde (windkracht 7). Vaak gaat het bij stormschade om relatief kleine bedragen (er zijn bijvoorbeeld enkele pannen van het dak gewaaid), waardoor de afhandelingskosten relatief hoog zijn. Omdat dit type schade in Nederland nogal vaak voorkomt, hanteert ongeveer drie op de vier verzekeraars een apart eigen risico bij stormschade om de hoeveelheid claims enigszins in te dammen. Het eigen risico bij stormschade is gemiddeld €250.

Heeft uw huis een stormgevoelige ligging, dan moet u beslist rekening houden met deze verzekeringsvoorwaarde.

2.1d Meeverzekeren van glas

Bij pakweg de helft van de verzekeraars is het vensterglas standaard meeverzekerd. Bij de overige heeft u de keus. De hoogte van de premie is onafhankelijk van het soort glas (enkel of dubbel glas), de grootte van het vensteroppervlak of het aantal ramen.

Doorgaans is het verstandig om het glas mee te verzekeren. Bijvoorbeeld als het hele huis dubbel glas heeft of als u naast een speeltuin woont. Een dekking op de woonhuisverzekering is dan eerste keus.

Woont u in een appartementencomplex, dan heeft de vereniging van eigenaren (vve) mogelijk geen glasdekking afgesloten. U kunt dan een losse glasverzekering afsluiten. Ook voor huurders kan een glasverzekering nodig zijn. Kijk in uw huurcontract in hoeverre ruitschade onder de kosten van de verhuurder of van uzelf valt. In plaats van een losse glasverzekering kunt u als huurder of appartementsbewoner bij veel verzekeraars ook glas bijverzekeren op de inboedelverzekering.

> **Tip**
>
> ## Bijzonder glas
>
> De ene glasverzekering is de andere niet. Ga dus eerst na welk glas u hoe dan ook wilt verzekeren. Kies in ieder geval geen verzekering die veelvoorkomend glas in huis uitsluit. Als u veel glas in lood in huis heeft, kiest u een verzekering die deze glassoort dekt. Hetzelfde geldt voor geëtst of gebogen glas.
>
> Heeft uw huis glazen windschermen of balkonafscheidingen, zorg dan dat uw verzekering schade hieraan dekt.
>
> Houd ook rekening met de maximumvergoeding die sommige verzekeraars rekenen. Die bedraagt soms slechts €250 of €500. Baseer de keus voor een verzekering niet alleen op de glasdekking, maar kijk naar de totale prijs-kwaliteitverhouding van de woonhuisverzekering.

2.1e   Natuurrampen

In het algemeen geldt dat schade die het gevolg is van een aardbeving, vulkaanuitbarsting, overstroming en atoomkernreacties niet wordt vergoed. Ook schade door molest (gewapend conflict, burgeroorlog, opstand, binnenlandse onlusten, oproer en muiterij) is niet gedekt.

Relletjes moeten hier goed van worden onderscheiden. In par. 2.1a en 2.1b heeft u immers gelezen dat schade als gevolg van relletjes wel afgedekt is. De verzekeraars verstaan onder relletjes 'incidentele geweldmanifestaties'.

Vulkaanuitbarstingen en atoomkernreacties komen in Nederland niet zo snel voor, overstromingen vormen een reëler risico. Essentieel in dit verband is de definitie van een overstroming. De verzekering spreekt van overstroming bij het bezwijken of overlopen van dijken, kaden, sluizen of andere waterkeringen. Wateroverlast doordat de capaciteit van de riolen niet berekend is op extreem veel neerslag in een korte tijdspanne, valt niet onder 'overstroming'. De schade die hierdoor ontstaat is bij veel verzekeringen dan ook gedekt (mits het water niet via openstaande ramen, deuren of luiken binnenkomt). Ook brand die het gevolg is van overstroming, valt onder de dekking.

Bij natuurrampen kunt u dus geen beroep doen op uw verzekeraar. In plaats daarvan zal de overheid uit algemene middelen bijspringen, maar op welke wijze en wanneer wordt ad hoc bepaald.

2.1f   Uitkering bij totaalverlies

In principe is uw woonhuis verzekerd op basis van herbouwwaarde. Dat is het bedrag dat nodig zou zijn om uw huis precies op dezelfde manier opnieuw op te bouwen.

Als de herbouwwaarde lager is dan de verkoopwaarde (de prijs van het huis bij verkoop exclusief de waarde van de grond), gaat de verzekeraar altijd van de herbouwwaarde uit. Is de herbouwwaarde hoger dan de verkoopwaarde, dan keert de verzekeraar alleen de herbouwwaarde uit als u ook daadwerkelijk overgaat tot herbouw. Dat moet u de verzekeraar binnen 12 maanden schriftelijk laten weten.

De verzekeraar keert de lagere verkoopwaarde uit als u toch al het voornemen had het huis af te breken, als het huis bestemd was voor afbraak of onteigening of als het huis door de gemeente onbewoonbaar was verklaard. Ook als het huis al leegstond of gekraakt was, kan de lagere verkoopwaarde worden uitgekeerd.

Berekening herbouwwaarde
Er zijn twee manieren om de hoogte van de herbouwwaarde te berekenen:
- een voor u op maat gemaakte verzekerde som;
- een standaard maximaal verzekerde som.

De eerste variant berekent u door een herbouwwaardemeter in te vullen bij het afsluiten van de verzekering. Bij de tweede variant verzekert u een hoog maximumbedrag, dat in ieder geval hoger is dan de herbouwwaarde van uw huis. Onze voorkeur gaat uit naar de laatste optie. Dat is

64

de eenvoudigste manier om onderverzekering te voorkomen. Voor alle duidelijkheid: de verzekeraar bepaalt welke methode gebruikt wordt.

Sommige verzekeraars doen bij schadeclaims nooit beroep op onderverzekering, mits de klant bij het afsluiten van de verzekering alle gegevens juist heeft opgegeven en daarna ook altijd verhuizingen en/of verbouwingen heeft doorgegeven. Voorwaarde is wel dat de schade onder de maximaal verzekerde som blijft.

Bij de meeste andere verzekeraars is dat ook het geval als u – zodra de verzekeraar hierom vraagt – een nieuwe herbouwwaardemeter invult.

> **Tip**
>
> ## Hoe nauwkeuriger, hoe beter
>
> Een nauwkeurige bepaling van de herbouwwaarde is natuurlijk van belang. Enerzijds moet uw verzekerde som gelijk zijn aan het bedrag dat nodig is om het huis te herbouwen, mocht het helemaal verloren gaan. Anderzijds is het zinloos de herbouwwaarde te hoog vast te stellen. U krijgt immers nooit méér uitgekeerd dan uw daadwerkelijke schade. U betaalt in dat geval alleen maar meer premie dan nodig is. Op de site van het Verbond van Verzekeraars (www.verzekeraars.nl) kunt u de Herbouwwaardemeter downloaden. Met deze meter kunt u de herbouwwaarde berekenen aan de hand van het type woning, de kwaliteit en de inhoud van de woning.

2.1g Premies

Elke verzekeraar heeft zijn eigen systematiek voor de berekening van de woonhuisverzekeringspremie. Over het algemeen geldt dat voor bijzondere risico's, zoals houten huizen (geen houtskeletbouw) of huizen met een rieten dak, een veel hogere premie wordt gevraagd dan voor standaardwoonhuizen.

Ook bij een gevaarverhogende bouw of ligging van de woning wordt een hogere premie berekend. Dat geldt bijvoorbeeld voor:

- afgelegen huizen;
- huizen die grenzen aan bedrijven;
- oude huizen (ouder dan 100 jaar);
- huizen die slecht zijn onderhouden;
- huizen waarin veel brandbare, brandgevoelige en/of stormgevoelige bouwmaterialen zijn verwerkt.

Leegstand en verbouwing

Staat uw huis leeg, bijvoorbeeld omdat u al een nieuwe woning heeft betrokken maar de oude nog niet heeft verkocht, dan handhaven de meeste woonhuisverzekeringen niet zonder meer de volledige dekking. De dekking van grote risico's als brand, blikseminslag, ontploffing, storm en vliegtuigen blijft van kracht. Voor andere schaden kan de dekking worden opgeschort. Deze beperking gaat niet onmiddellijk in, maar na bijvoorbeeld 30, 60 of 90 dagen.

Stel de verzekeraar altijd op de hoogte als de woning gekraakt is. Ook dan zal de verzekering niet zonder meer onbeperkt van kracht blijven.

Soortgelijke beperkingen gelden ook voor aanbouw of verbouw van de woning. De dekking kan dan bijvoorbeeld beperkt zijn tot schade door brand, blikseminslag, ontploffing, storm en vliegtuigen.

Andere verzekeraars gaan minder ver en sluiten alleen glasbreuk uit. Weer andere vergoeden helemaal geen schade die ontstaat door de verbouwing. Als u kunt aantonen dat de verbouwingsschade geen verband houdt met de werkzaamheden en/of dat de schade daardoor niet is vergroot, zullen sommige verzekeraars zich niet op deze dekkingsbeperking beroepen en gewoon uitkeren.

Bij een ingrijpende verbouwing moet u dus eventuele schade, bijvoorbeeld door neerslag en diefstal, voorkomen en extra opletten. Ga bij de aannemer na in hoeverre risico's tijdens de verbouwing zijn gedekt via een door hem afgesloten (construction allrisk)verzekering.

Verzekeraars maken ook vaak onderscheid tussen woningen met een betonnen en woningen met een houten vloer. De laagste premie geldt altijd voor woningen met een betonnen vloer.

Er zijn ook maatschappijen die voor een nieuwbouwwoning een lagere premie vragen dan voor een bestaande woning. Zolang u niet verhuist, blijft voor u in principe de premie voor de nieuwbouwwoning gelden.

Tot slot zijn er verzekeraars die een indeling naar bouwjaar maken. Voor oude woningen, bijvoorbeeld gebouwd voor 1945 of voor 1960, rekent de verzekeraar dan een hogere premie.

Regio

De hoogte van de premie is ook afhankelijk van de regio waar u woont. Doorgaans betaalt een inwoner van Amsterdam een hogere premie dan een inwoner van Harlingen. De mate van differentiatie verschilt per verzekeraar. Hij kan een indeling in vijf regio's hanteren, maar ook op postcodeniveau.

Pakweg 15 jaar geleden hanteerden de meeste verzekeraars de volgende indeling. We vermelden deze indeling, omdat ze nog altijd een goed beeld schetst van de regio's waar u gemiddeld het meeste geld kwijt bent. Een inwoner van een van de vier grote steden (regio C) betaalde de meeste premie. Inwoners van Noord- en Oost-Nederland, Zeeland, de Zuid-Hollandse eilanden en de kop van Noord-Holland betaalden de minste premie (regio A). Regio D bestond uit de middelgrote steden in het noorden en oosten van het land (bijvoorbeeld, Groningen, Leeuwarden en Enschede), de overige grotere steden zaten in regio E (bijvoorbeeld Tilburg of Heerlen). In regio E gold de op een na hoogste premie. De rest van Nederland was ingedeeld in regio B.

2.1h Appartementen

Woont u in een appartement, dan is de vve verplicht een woonhuisverzekering af te sluiten. In de praktijk gebeurt dat niet altijd. Sommige vve's functioneren namelijk niet.

Geldt dat voor u, dan kunt u een woonhuisverzekering met de clausule 'Verzekering individueel appartementsrecht' afsluiten. In dat geval stelt de verzekeraar u voor uw appartement 100% schadeloos. Bij schade aan gemeenschappelijke ruimten, zoals de trap en de lift, vergoedt de verzekeraar het deel van de schade dat overeenkomt met de verzekerde som

Flat

Stel: de totale herbouwwaarde van uw appartementencomplex bedraagt €1 miljoen. U bent voor eentiende eigenaar van het complex en heeft daarom een woonhuisverzekering van €100.000 afgesloten. Op een gegeven moment is er sprake van een gedekte opstalschade van €25.000. Hiervan moet u als mede-eigenaar €2500 voldoen. De verzekeraar keert deze €2500 uit en heeft geen verdere verplichtingen ten opzichte van andere appartementseigenaren.

in verhouding tot de totale waarde van het gebouw. De premie ligt iets hoger dan bij een standaard-woonhuisverzekering.

Ook als de vve wel goed functioneert, kunt u behoefte hebben aan een aanvullende opstaldekking. Bijvoorbeeld als u uw appartement veel luxer heeft ingericht dan het gros van de overige eigenaren. Zou het gebouw afbranden, dan zou u er zonder aanvullende verzekering sterk op achteruitgaan.

In zo'n geval kunt u het eigenaarsbelang verzekeren. Deze mogelijkheid wordt niet door alle verzekeraars geboden. Sommige verzekeraars verzekeren het eigenaarsbelang tegen de standaardpremie, andere vragen een premieopslag. Er zijn ook verzekeraars die de hoogte van de premie van de individuele situatie laten afhangen of het eigenaarsbelang bij de inboedelverzekering onderbrengen. Oriënteer u dus goed voordat u de verzekering afsluit.

2.1i   Uw keus

De Consumentenbond heeft het kiezen van een woonhuisverzekering gemakkelijker gemaakt. Met de Woonverzekeringvergelijker kunt u berekenen welke extra uitgebreide of allriskwoonhuisverzekering in uw situatie de laagste premie rekent (www.consumentenbond.nl/woonverzekering).

Ons advies luidt: maak een keus uit de voordelige aanbieders en neem het testoordeel daarin mee. Dit oordeel loopt uiteen van 6,6 tot 8,4 (2014). Hieruit blijkt al dat er geen slechte uitgebreide en allriskwoonhuisverzekeringen op de markt zijn. Bij uw keus is ook van belang hoeveel waarde u hecht aan een allriskdekking, rekening houdend met de vele uitsluitingen hierop.

Heeft u een houten woning of een huis met een rieten dak, dan kunt u de vergelijker helaas niet gebruiken. In dat geval zult u zelf bij een aantal aanbieders een offerte moeten opvragen.

2.2   Inboedel

Iedereen heeft inboedel en vrijwel iedereen heeft ook een inboedelverzekering. Tegenwoordig worden eigenlijk alleen de extra uitgebreide inboedelverzekering (par. 2.2a) en de allriskinboedelverzekering (par. 2.2b) afgesloten.

Beperking grote steden

In het verleden hanteerden verzekeraars in de wat inbraak betreft risico-volste gebieden (de meeste verzekeraars rekenden hiertoe Amsterdam, Rotterdam, Den Haag en Utrecht) extra dekkingsbeperkingen bij diefstal. Verzekerden kregen maar tot een bepaald bedrag uitgekeerd en er gold een eigen risico van €225 bij schade door diefstal.

De meerderheid van de verzekeraars maakt momenteel bij diefstal geen onderscheid meer tussen de grote steden en de rest van Nederland. Als er beperkingen zijn, gelden die in heel Nederland of zijn ze afhankelijk van de beveiliging van de woning. Lees de verzekeringspolis hierop na.

2.2a Extra uitgebreide inboedelverzekering

Bij vrijwel alle verzekeraars is bij de extra uitgebreide inboedelverzekering de schade gedekt die ontstaat als gevolg van:

- inbraak, diefstal of een poging daartoe. De inboedelverzekering dekt ook het diefstalrisico van hetgeen is opgeslagen in uw schuur, garage, kelderbox en dergelijke en de inboedel die tijdelijk verblijft in uw recreatiewoning (doorgaans alleen binnen Nederland) of tuinhuis, maar dan moeten er wel aantoonbare sporen van braak zijn. Bij diefstal uit de woning zelf zijn braaksporen bij de meeste verzekeraars niet vereist;
- brand en brandblussing;
- schroei-, zeng- en smeltschade waarbij geen vlammen te zien waren;
- blikseminslag en overspanning of inductie als gevolg daarvan;
- ontploffing;
- storm, waaronder schade aan (schotel)antennen en buitenzonwerin-gen;
- gewelddadige beroving;
- vandalisme na binnendringing in de woning;
- schade door diefstal van tuinmeubilair, wasgoed en ook vaak tuin-gereedschappen in de tuin of op het balkon; ook vandalisme aan deze spullen is vaak gedekt;
- schade aan de inhoud van diepvries en koelkast als gevolg van een defect of stroomuitval. Veel verzekeraars hebben als regel dat de stroom

minstens zes uur moet zijn uitgevallen voordat ze tot vergoeding van de schade overgaan. Dan is de inhoud van uw vriezer ook echt wel bedorven;

- aanrijding en aanvaring (uiteraard van de verzekerde woning);
- regen of andere neerslag die onvoorzien de woning binnendringt door het overlopen van goten of via de kelder of de begane grond als gevolg van een stortbui. Ook schade door overstroming als gevolg van lokale overvloedige neerslag is bij veel verzekeraars gedekt. Er is dan dekking als ten minste 40 mm regen valt in 24 uur, 53 mm in 48 uur of 67 mm in 72 uur, op en/of nabij de locatie waar de schade is ontstaan. Meestal niet gedekt is schade als gevolg van het open laten staan van deuren en ramen. Nooit gedekt is overstroming anders dan door lokale hevige neerslag. Hetzelfde geldt voor vochtschade als gevolg van slecht onderhoud en/of vochtdoorlating van muren;
- lekkages uit waterleidingen en daarop aangesloten (af)wasmachines en dergelijke (bijvoorbeeld door plotselinge leidingbreuk, overlopen of springen van de leidingen door vorst). Dit geldt ook voor de cv-installatie;
- water dat terugkomt uit rioolputten en -buizen;
- waterschade als gevolg van aquariumbreuk en lekkage uit een water-bed;
- lekkages uit oliestookinstallaties;
- rook en roet, plotseling uitgestoten door op een schoorsteen aange-sloten kachel of open haard;
- plundering en relletjes;
- omvallen van heistellingen, kranen en meestal ook van bomen.

Tip

Inboedel- en woonhuisverzekering bij één verzekeraar

Als uw huis afbrandt, bent u zowel uw huis als uw inboedel kwijt. In zo'n geval kan het onzeker zijn of iets tot de inboedel of de opstal gerekend moet worden. Als de inboedel- en woonhuisverzekering bij verschillende maatschappijen lopen, is dan onduidelijk wie de schade moet vergoeden. Dat kan tot vervelende discussies leiden.

Om dit te voorkomen, is het handig als beide verzekeringen bij dezelf-de verzekeraar lopen. Dat geldt helemaal voor vergoedingen boven de verzekerde som, zie hierna.

Verder kunt u in de polis nog allerlei andere zaken aantreffen die onder de dekking vallen, bijvoorbeeld schade aan de inboedel door glasscherven bij ruit- of spiegelbreuk, schade aan beroepsgoederen (vaak beperkt) en schade aan zaken van derden die tijdelijk bij u in huis aanwezig waren (ook vaak beperkt). In de verzekeringspolis leest u welke schade wel en welke niet onder de dekking valt.

Dekking boven de verzekerde som
Evenals bij de woonhuisverzekering neemt de verzekeraar een aantal extra kosten voor zijn rekening, ook als de uitkering hiermee hoger wordt dan de verzekerde som. Deze extra kosten zijn vaak wel gemaximeerd tot bijvoorbeeld 10% van de verzekerde som.
Stel: uw inboedel is verzekerd voor €75.000. Als uw huis afbrandt, neemt de verzekeraar tot €7500 de kosten van bijkomende zaken voor zijn rekening. Omdat die boven op de verzekerde €75.000 komen, spreken we van 'uitkeringen boven de verzekerde som'.
De verzekeraar vergoedt onder andere:
- opruimingskosten;
- saneringskosten;
- extra hotel- en pensionkosten;
- kosten van noodgedwongen vervoer en opslag van spullen;
- een bedrag aan verloren gegaan geld en geldswaardig papier. Dit is afhankelijk van de verzekeraar gemaximeerd;
- expertisekosten (zie par. 1.3e);
- kosten gemaakt ter voorkoming en/of vermindering van de schade. Vrijwel overal standaard is dekking van schade aan wit-, behang- en schilderwerk en betimmeringen, en aan andere zaken die door een huurder in een woning zijn aangebracht waarbij de schade niet op een andere verzekering kan worden verhaald.

2.2b   Allriskinboedelverzekering
De allriskinboedelverzekering is te herkennen aan de 'ieder plotseling en onvoorzien onheil'-clausule in de polis. Naast wat eerder bij de extra uitgebreide variant is opgesomd, dekt deze verzekering in principe ook de schade die wordt aangericht als een verwilderde kat uw huis is binnengedrongen en in paniek uw gordijnen en leren bank stuktrekt of als u bij het stofzuigen per ongeluk een peperdure lamp van het dressoir stoot.

Een ideaal product zo op het eerste gezicht, ware het niet dat nogal wat verzekeraars redelijk wat 'onheilen' uitsluiten. Daardoor wordt het nut van de verzekering substantieel uitgehold. Is het bijvoorbeeld uw eigen kat die de bank vernielt, dan kunt u een vergoeding wel vergeten. Ook is er geen vergoeding voor langzaam werkende schaden, zoals insectenvraat of schimmelvorming.

Lees de verzekeringspolis goed door en zet op een rijtje wat de allriskverzekering daadwerkelijk meer verzekert dan de extra uitgebreide inboedelverzekering.

2.2c   Kostbare zaken

Vrijwel iedereen heeft kostbare zaken in huis, zoals 'lijfsieraden' (ringen, colliers, armbanden, horloges, oorbellen), een of meer tv's, videoapparatuur, stereo-installatie, computer, kunst en verzamelingen. Bij de meeste verzekeraars vallen deze zaken, zolang hun waarde geen al te hoog percentage van de totale inboedel betreft, gewoon onder de inboedelverzekering.

Ze vallen dan natuurlijk ook onder de voorwaarden van de inboedelverzekering. Wordt uw videocamera uit uw huis gestolen, dan zal de verzekeraar over de brug komen. Maar raakt u de camera buitenshuis kwijt, dan is de schade bij de meeste verzekeraars niet gedekt. Alleen bij een gewelddadige beroving zullen ze de schade vergoeden. Op dit punt is de laatste jaren een kentering gaande. U kunt uw inboedelverzekering uitbreiden met buitenshuisdekking (par. 2.3) of een kostbaarhedenverzekering (par. 2.4).

Lijfsieraden

Bij lijfsieraden wordt onderscheid gemaakt tussen het diefstalrisico en de overige dekking. Pakweg de helft van de aanbieders kent alleen voor het diefstalrisico een maximale dekking die, een uitzondering daargelaten, uiteenloopt van €2000 tot €7000. De rest hanteert een dergelijk maximum voor alle schaden aan lijfsieraden. Zijn uw sieraden meer waard dan dit maximum, dan kunt u dit bij verschillende verzekeraars bijverzekeren tegen een stevige premieopslag.

Aan dit bijverzekeren stellen verzekeraars ook grenzen. Er zijn verzekeraars waar u tot €100.000 kunt bijverzekeren. Maar ook als de grens bij €100.000 ligt, betekent dat niet dat de verzekeraar een inboedel van

€90.000 aan lijfsieraden en €30.000 aan overige inboedel zal accepteren. De totale waarde aan lijfsieraden mag vaak niet hoger zijn dan een percentage van de totale waarde van de inboedel. Is het bedrag hoger dan het maximum, dan zal de verzekeraar u doorverwijzen naar een kostbaarhedenverzekering (zie par. 2.4).

Verzekeraars stellen niet zelden aanvullende eisen bij een verzekering voor lijfsieraden. Bij Centraal Beheer Achmea zijn lijfsieraden met een totale waarde boven de €5000 bijvoorbeeld alleen gedekt als u ze opbergt in een kluis.

Het is te overwegen een afzonderlijke buitenshuisdekking (par. 2.3) of kostbaarhedenverzekering (par. 2.4) af te sluiten voor lijfsieraden. De premie ligt dan weliswaar hoger dan wanneer u de sieraden meeverzekert op de inboedelpolis, maar ze zijn wel verzekerd als u ze buitenshuis draagt. Bij de inboedelverzekering zijn ze buitenshuis alleen gedekt als u de sieraden kwijtraakt door een gewelddadige beroving.

Audiovisuele en computerapparatuur

Tot audiovisuele en computerapparatuur rekenen verzekeraars de televisie, stereoapparatuur, video(camera's), foto- en filmapparatuur, computer en ontvang-, zend- en navigatieapparatuur, zoals telefoons en gps-apparaten. Ook alle randapparatuur, informatiedragers en verbruiksartikelen, zoals inktcartridges, toner en (foto)papier, vallen hieronder. Enkele verzekeraars maken nog onderscheid tussen enerzijds audiovisuele apparatuur en anderzijds de computer met alle bijbehorende software en randapparatuur.

Sommige aanbieders kennen geen apart maximum voor audiovisuele apparatuur, maar de meeste hanteren een grens die uiteenloopt van €7500 tot €20.000. Meestal geldt deze beperking voor alle schaden, soms alleen voor verlies en diefstal. Ook hierbij kunt u bij de meeste verzekeraars de grens tegen premieopslag verhogen.

Een klein aantal verzekeraars hanteert voor inwoners van de vier grote steden een lager maximum dan voor de rest van Nederland. Een enkele verzekeraar eist bij een relatief hoog bedrag aan audiovisuele apparatuur dat u het huis beveiligt.

Alleen bij geweld

Houd er rekening mee dat diefstal van een mobiele telefoon buitenshuis alleen gedekt is als er sprake is van een gewelddadige beroving.
Wilt u een uitgebreidere dekking, dan kunt u kiezen voor buitenshuisdekking (zie par. 2.3). Er worden tegenwoordig ook losse smartphone-
verzekeringen verkocht, die raden wij niet aan (zie het kader 'Onzinverzekeringen' in par. 1.2a).

2.2d   Premie

De premie van de inboedelverzekering wordt afgestemd op het inbraak-
risico in de plaats of regio waar u woont. De mate van differentiatie
verschilt per verzekeraar. Een indeling van Nederland in vijf regio's is
vrij gangbaar (dit werd vroeger standaard gedaan, zie par. 2.1g onder
'Regio'), maar steeds meer maatschappijen differentiëren op postcode.
De premie is dan adresafhankelijk.

Uitgaande van een bepaalde woonplaats, gelden de laagste premies voor
een inboedel in een huis van steen met een 'harde' dekking. Voor inboedels in houten huizen, huizen met een rieten kap of woningen boven
een snackbar worden hogere premies in rekening gebracht.

Bij een groeiend aantal verzekeraars is de premie niet zozeer afhankelijk
van de daadwerkelijke waarde van de inboedel, maar van de gezinssamenstelling en de grootte en prijs van de woning. Voor bijzondere
bezittingen als lijfsieraden is boven een bepaald maximum wel de werkelijke waarde van belang.

Voor zeer kostbare inboedels wordt overigens van bovengenoemde systematiek afgeweken. In onze Woonverzekeringvergelijker kunt u berekenen welke aanbieder in uw situatie de laagste premie hanteert. Helaas
is deze vergelijker niet te gebruiken voor een houten huis of een huis
met een rieten dak.

2.2e   Vaststellen van de verzekerde som

Uiteraard is het zaak de verzekerde som zo nauwkeurig mogelijk te bepalen, zodat die zo goed mogelijk overeenkomt met de nieuwwaarde
van uw inboedel. Als dit niet het geval is, loopt u het risico onder- of
oververzekerd te zijn (zie par. 1.2d).

Bij oververzekering bent u alleen dief van uw eigen portemonnee, want u betaalt te veel premie. U krijgt bij schade nooit meer dan de werkelijke waarde uitgekeerd. Onderverzekering is een groter probleem bij schade, ook bij gedeeltelijke schade (zie het kader 'Onderverzekerd').

Gelukkig is dit probleem tegenwoordig veel kleiner dan een aantal jaar geleden. In veel gevallen garandeert de verzekeraar namelijk dat u niet onderverzekerd kunt zijn. Een inboedelverzekering wordt namelijk standaard gesloten met een indexclausule. Dat betekent dat de vastgestelde waarde van uw inboedel wordt geïndexeerd op basis van het indexcijfer voor woninginboedels.

Daarnaast geldt bij de meeste verzekeraars dat uw verzekerde som ten behoeve van de schadevaststelling met 25% wordt verhoogd als mocht blijken dat u toch nog onderverzekerd was. Uiteraard moet u bij kostbare uitbreidingen van uw inboedel niet vergeten de verzekerde waarde te verhogen.

Er zijn twee veelgebruikte manieren om de verzekerde som vast te stellen: op basis van de inboedelwaardemeter en op basis van de maximaal verzekerde som. Een andere optie, een inventarislijst, is vooral van belang bij heel dure inboedels, waarvoor de inboedelwaardemeter niet voldoet.

Onderverzekerd

Uw inboedel heeft een waarde van €50.000, maar u bent slechts voor €30.000 verzekerd. U heeft dus maar 60% van de waarde van uw inboedel verzekerd. Bij een schade van €3000 krijgt u dan ook maar 6/10 van €3000 = €1800 vergoed.

Op basis van de inboedelwaardemeter

De inboedelwaardemeter is een rekenformulier waarmee u punten scoort aan de hand van factoren als leeftijd, gezinssamenstelling, type en waarde van de woning, nettomaandinkomen enzovoort. Op basis van het behaalde aantal punten schat de verzekeraar in wat de waarde van uw inboedel is.

Bij een correcte invulling van de inboedelwaardemeter geven verzekeraars altijd een garantie tegen onderverzekering. Vrijwel alle verzekeraars stellen wel de voorwaarde dat u elke vijf of tien jaar een nieuwe inboedelwaardemeter invult.

Aan het invullen van de inboedelwaardemeter wordt meestal een aantal eisen gesteld. Zo mag bij de meestgebruikte waardemeter, die van het Verbond van Verzekeraars, het nettomaandinkomen van de hoofdkostwinner niet hoger zijn dan €4850 en het woonoppervlak niet groter dan 300 m². Zit u hierboven, dan moet u een inventarislijst invullen (zie hierna).

Bijzondere bezittingen boven een bepaalde waarde moet u afzonderlijk opgeven, zoals lijfsieraden met een waarde van meer dan €6000, audiovisuele en computerapparatuur van meer dan €12.000, antiek, kunst, verzamelingen, (bijzondere) muziekinstrumenten van meer dan €15.000 en aan een huurwoning aangebrachte verbeteringen (huurdersbelang) van meer dan €6000. Deze bezittingen komen voor de premieberekening boven op de geschatte waarde.

Het voordeel van de inboedelwaardemeter is helder. Het formulier is snel en simpel in te vullen en u kunt niet onderverzekerd zijn, ook al heeft u tien keer de geschatte waarde aan 'gewone' inboedel in huis.

Toch is de meter niet voor iedereen geschikt, want sommige mensen kunnen door een te hoge schatting oververzekerd raken. Een stel goedverdienende veertigers met kinderen die in een knap huis wonen maar een sobere inrichting hebben, betalen op deze wijze al snel te veel.

Om dat te voorkomen is het zaak eerst zelf een globale inventarisatie te maken van de waarde van uw inboedel. Komt deze waarde iets hoger uit of komt ze nagenoeg overeen met de waarde die de inboedelwaardemeter heeft berekend, dan kunt u de meter rustig indienen. Komt u veel lager uit, overweeg dan tijd en energie te steken in het invullen van een uitgebreide inventarislijst.

Op basis van de maximaal verzekerde som
Steeds meer verzekeraars berekenen de premie op basis van onder meer postcode, gezinssamenstelling, leeftijd aanvrager, soort woning en aantal kamers. Op basis van die kenmerken wordt een maximaal verzekerde som vastgesteld. Zolang de schade onder dit hoge maximum blijft, wordt ze volledig uitgekeerd.

Ook nu geldt dat de premie wordt geïndexeerd. Bij de meeste verzekeraars moet u om de tien jaar of zodra de verzekeraar dit vraagt opnieuw uw gegevens doorgeven. Doe dit sowieso als uw gezinssituatie verandert. U bent dit in ieder geval verplicht als u verhuist.

Op basis van de inventarislijst

De verzekerde som kan ook worden vastgesteld op basis van een inventarislijst. Het samenstellen hiervan is een tijdrovende klus. U moet van uw kleding tot uw tuinmeubilair en van uw audio-, video- en computerapparatuur tot uw keukeninventaris de waarde opgeven. Als u een inventarislijst invult, biedt de helft van de verzekeraars garantie tegen onderverzekering.

Verder hanteert, zoals gezegd, vrijwel elke verzekeraar bij een inboedelverzekering de indexclausule als extra vangnet. Daardoor wordt uw verzekerde som bij de schadevaststelling met 25% verhoogd als mocht blijken dat u toch nog onderverzekerd bent. Zo bent u als invuller van de inventarislijst redelijk beschermd, ook bij verzekeraars die geen garantie tegen onderverzekering geven.

Tip

Opnieuw vergelijken

Tegenwoordig is de contractduur van een inboedelverzekering standaard één jaar. Een verzekeraar die vorig jaar voor u eerste keus was, hoeft dat dit jaar niet meer te zijn. Raadpleeg daarom elk jaar even onze Kieswijzer Inboedel- en opstalverzekeringen. Doe dit in ieder geval ook bij verhuizing, bij wijziging van de gezinssamenstelling, zoals samenwonen, en bij grote aankopen, zoals dure elektronica.

2.2f   Schadeafwikkeling

In principe bent u verzekerd tegen nieuwwaarde: dat bedrag heeft u immers nodig om een item opnieuw aan te schaffen. U bent vaak gedurende een aantal jaren tegen de nieuwwaarde verzekerd. Hoeveel jaar verschilt per item en per verzekeraar.

Verzekeraars berekenen veelal aan de hand van eigen afschrijvingsmethoden (die ook per item verschillen) een dagwaarde voor uw spullen. Bedraagt de dagwaarde van een item vóór de schade minder dan 40% van de nieuwwaarde, dan keert de verzekeraar slechts de dagwaarde van het item uit. Die is logischerwijs altijd lager dan 40% van de nieuwwaarde.

Zaken die 'onttrokken zijn aan het gebruik waarvoor zij bedoeld waren', zoals een oud bankstel of een oude kast op zolder, worden sowieso altijd tegen de dagwaarde vergoed, net als brom- en snorfietsen. Ook antennen en buitenzonweringen worden veelal tegen de dagwaarde vergoed. Houd er rekening mee dat snel verouderende zaken als (modegevoelige) kleding, de meeste boeken, smartphones en computersoftware en -apparatuur die 40%-restwaardegrens zeer snel kunnen bereiken. Deze spullen worden door verzekeraars in het algemeen in drie à vier jaar afgeschreven. Na die tijd krijgt u er vrijwel niets meer voor terug.

De schade aan kunstvoorwerpen, antiek en verzamelingen wordt vastgesteld op basis van de waarde die deskundigen vaststellen. Voor cd's en lp's geldt in de meeste gevallen een vaste vergoeding.

Een en ander zou kunnen betekenen dat u bijvoorbeeld bij een flinke brand toch ernstig gedupeerd raakt. U heeft natuurlijk niet alleen nieuwe spullen in huis. Het bedrag dat de verzekeraar u dan volgens de polisvoorwaarden zou moeten uitkeren, zou veel te laag zijn om een nieuwe inboedel aan te schaffen. De afschrijvingsregels zijn ingesteld omdat de overheid bang is dat een te royale vergoeding crimineel gedrag uitlokt. De meeste verzekeraars zeggen dat ze soepel omgaan met de afschrijvingsregels.

Tip

Succesvol claimen

- Bij diefstal en inbraak moet u altijd aangifte doen bij de politie om te kunnen claimen bij de verzekeraar.
- Inbraakschade, zoals een geforceerde deur, wilt u waarschijnlijk zo snel mogelijk laten repareren. Toch is het slim de verzekeraar eerst toestemming hiervoor te vragen. Kunt u de verzekeraar niet bereiken, maak dan foto's van de schade en laat de reparateur op papier zetten wat hij heeft gedaan.
- Hetzelfde geldt in minder dringende situaties, waarbij u beschadigde spullen wilt weggooien of laten repareren. Doe dat niet voordat de verzekeraar ze heeft gezien of schriftelijk heeft laten weten dat u ze mag weggooien of laten herstellen.

Nieuwwaarderegeling ING en Nationale-Nederlanden

ING en Nationale-Nederlanden hebben een veel gunstiger schadevergoedingsregeling dan de overige verzekeraars. Voor de meeste spullen gaan ING en Nationale-Nederlanden tien jaar lang uit van de nieuwwaarde. De dagwaarde geldt alleen voor:

- zaken van 10 jaar en ouder;
- zaken die onttrokken zijn aan het gebruik waarvoor zij waren bestemd, denk hierbij aan oude meubelen die op zolder staan;
- brom- en snorfietsen alsmede losse onderdelen en accessoires;
- gehuurde spullen.

Schade aan zaken met antiquarische of zeldzaamheidswaarde wordt vastgesteld op basis van die waarde.

2.2g   Meer aandachtspunten

Inbraakpreventie lonend
Wie op eigen initiatief goede inbraakpreventie toepast, verkleint voor zichzelf de kans op schade en kan bij veel verzekeraars rekenen op een gunstige behandeling. Als de inbraakwerende voorzieningen voldoen aan de eisen van de verzekeraar, krijgt u vaak een korting op de premie. Als voorbeeld geven we de kortingsregeling van OHRA. Met een van de certificaten uit het kader 'Certificaat inbraakpreventie' profiteert u bij deze verzekeraar van 20% korting op de premie.

Certificaat inbraakpreventie

Politiekeurmerk Veilig Wonen. Uw huis moet voldoen aan een aantal eisen om het certificaat Veilig Wonen te kunnen krijgen:
- goedgekeurd en gecertificeerd hang- en sluitwerk op bereikbare ramen, deuren en lichtkoepels;
- verlichting bij de buitendeuren;
- zicht vanuit de hal op degene die voor de deur staat;
- rookmelders op iedere etage.

Het certificaat Veilig Wonen ontvangt u na goedkeuring van een Politiekeurmerk Veilig Wonen-beveiligingsbedrijf (PKVW-bedrijf). Een PKVW-bedrijf geeft u advies over maatregelen die noodzakelijk zijn voor een goede beveiliging van uw huis. Voer de maatregelen alleen zelf uit als u over voldoende ervaring en kennis beschikt. Op www.politiekeurmerk.nl leest u meer over het politiekeurmerk.

BORG-certificaat. Het BORG-certificaat van het Centrum voor Criminaliteitspreventie en Veiligheid wordt alleen verstrekt door een erkend beveiligingsbedrijf. Dit bedrijf komt bij u langs om te kijken of uw huis aan de eisen voldoet en, zo nee, welke beveiligingsmaatregelen nog nodig zijn. Meer informatie vindt u op www.hetccv.nl.

Certificaat VEB Select beveiligingsbedrijf. Een VEB Erkend beveiligingsbedrijf voorziet u van advies over beveiliging en zorgt voor de uitvoering van de nodige oplossingen. Als bewijs ontvangt u na oplevering van een beveiligingsinstallatie een VEB-kwaliteitsgarantie. Meer informatie vindt u op www.veb.nl.

Uiteindelijk weegt de premiekorting natuurlijk niet op tegen de kosten van inbraakpreventie, maar u beveiligt uw huis uiteraard niet alleen om verzekeringspremie uit te sparen.

Behalve het vrijwillig nemen van maatregelen, is het ook mogelijk dat een maatschappij u alleen als verzekerde accepteert als u inbraakwerende voorzieningen aanbrengt. U wordt verplicht tot preventie. Dat kan het gevolg zijn van de ligging van uw woning, van de waarde, maar ook van de samenstelling van uw inboedel en/of de aard van uw woning. Bij verplichte preventie krijgt u geen premiekorting.

2.2h   Uw keus

Een ideale inboedelverzekering heeft een ruime dekkingsomvang en een lage premie. Voorts raden we een ruime basisdekking voor kostbaarheden aan en een ruime mogelijkheid om kostbaarheden boven die basisdekking op de inboedelpolis mee te verzekeren. Verder is waardegarantie (bescherming tegen onderverzekering) een pluspunt. Vergaande uitsluitingen op de 'alle onheilen'-clausule (bij de allriskinboedelverzekering) vinden we een minpunt.

Een zeer groot pluspunt is de nieuwwaarderegeling van ING en Nationale-Nederlanden. Het is geen toeval dat de producten van deze verzekeraars in ons onderzoek naar inboedelverzekeringen uit juni 2014 het hoogste testoordeel kregen.

Draagt u regelmatig buitenshuis kostbare sieraden of neemt u vaak uw laptop, tablet of smartphone mee naar buiten, dan is het een pre als u bij de inboedelverzekering een goede buitenshuisdekking kunt afsluiten.

Bezit u voor een relatief hoog bedrag aan lijfsieraden en/of audiovisuele apparatuur en wilt u deze graag verzekeren tegen diefstal, dan moet u op zoek naar verzekeraars met een hoge basisdekking of een relatief lage premie voor het bijverzekeren van kostbare goederen.

Voert een verzekeraar zowel de extra uitgebreide als de allriskverzekering, dan is de allriskdekking doorgaans grotendeels gelijk aan de extra uitgebreide verzekering, met dien verstande dat ze is uitgebreid met de 'alle onheilen'-clausule. De premieverschillen tussen deze twee vormen vallen doorgaans reuze mee.

2.3 Buitenshuisdekking

We nemen veel waardevolle spullen mee de deur uit, veel meer dan een aantal jaren geleden. Bij steeds meer verzekeraars kunt u diefstal en soms ook schade aan de spullen ook buitenshuis verzekeren via de buitenshuisdekking.

Deze verzekering, die waardevolle spullen buiten de woning, zoals laptops en tablets, dekt, is de grootste innovatie in de verzekeringswereld van de laatste jaren. Het product is nog niet uitgekristalliseerd. De voorwaarden bij de verschillende aanbieders lopen nog mijlenver uit elkaar. Er zijn producten met een uitgebreide dekking, maar ook verzekeringen waarvan je je afvraagt wat ze toevoegen.

2.3a Dekking

De dekking van buitenshuisverzekeringen verschilt enorm. Zo is er bij Avéro Achmea geen dekking bij verlies, maar alleen bij diefstal. De dekking is beperkt tot Nederland en de maximumvergoeding voor een sieraad is slechts €250. Bij spullen ouder dan een jaar vindt de schadevergoeding plaats op basis van dagwaarde. Bij Centraal Beheer Achmea zijn diefstal en verlies gedekt, is er werelddekking, ligt het maximum bij €5000 en wordt uitgekeerd op basis van nieuwwaarde.

Het kan lastig zijn als verlies niet en diefstal wel gedekt wordt. U kunt dan naar een vergoeding fluiten als u niet aannemelijk kunt maken dat u bestolen bent. U moet in ieder geval aangifte doen bij de plaatselijke politie.

Buitenshuisdekking is bedoeld voor kostbare inboedel die mee naar buiten wordt genomen. Verzekeraars hebben daarom vaak een minimumbedrag in de polis opgenomen. Er is dan bijvoorbeeld alleen dekking als de nieuw-waarde van het gestolen of beschadigde goed minimaal €200 bedraagt. De uitkeringen van de buitenshuispolis zijn altijd gemaximeerd. Het betreft óf een algemeen maximum of een maximum per specifiek onderdeel. Voor telecommunicatieapparatuur geldt dan een ander maximum dan voor lijfsieraden.

De ene verzekering is veel royaler dan de andere. We nemen moederbedrijf Achmea even als voorbeeld. Bij dochter Interpolis geldt een totaal maximum van €1 miljoen. Er zijn geen aparte maxima voor de diverse onderdelen. Bij dochter Avéro is het maximum slechts €2500, het maximum voor lijfsieraden €250, voor audiovisuele apparatuur inclusief computer €1250 en voor telecommunicatieapparatuur €250.

2.3b Kosten

Verzekeringen waarbij de buitenshuisdekking standaard in de inboedelverzekering zit, zijn meestal niet de goedkoopste. Sluit u een losse buitenshuisverzekering af, dan moet u rekenen op een jaarlijkse premie van een kleine €100.

Tip

Dezelfde verzekeraar

Als u een losse buitenshuisdekking wilt, raden wij aan die af te sluiten bij dezelfde verzekeraar waar de inboedel- en woonhuisverzekering lopen. Bij schade kan er dan geen discussie ontstaan over welke verzekeraar moet uitkeren.

Overigens geldt zowel voor de buitenshuisdekking als de kostbaarhedenverzekering dat ze meestal alleen naast een inboedelverzekering bij dezelfde aanbieder zijn af te sluiten. Hecht u veel belang aan een goede dekking van waardevolle spullen buitenshuis, dan zult u hiermee rekening moeten houden bij de keus van de inboedelverzekering.

2.3c Alternatieven

Er zijn twee alternatieven voor de buitenshuisdekking.

Reisverzekering

Verlies en diefstal onderweg worden ook gedekt door een reisverzekering, maar deze kent nogal wat nadelen. Zo biedt de reisverzekering alleen dekking in Nederland als je op vakantie bent en er sprake is van een verblijf in een hotel, vakantiehuisje of op een camping. Bovendien is de vergoeding aan de magere kant; de verzekeraar vergoedt slechts de dagwaarde. Dit bedrag is veel te laag om de spullen opnieuw aan te schaffen. Vooral bij elektronische apparatuur daalt de dagwaarde snel. Als daarnaast nog het eigen risico verrekend moet worden, blijft er niet veel meer over.

Mensen die veel onderweg zijn of reizen en vaak dure spullen bij zich hebben, hebben veel meer aan een inboedelverzekering met een goede buitenshuisdekking dan aan een reisverzekering met bagagedekking. Je bent dan ook in eigen land verzekerd tegen diefstal en verlies. Ook krijg je langer de nieuwwaarde uitgekeerd.

Een inboedelverzekering met een goede buitenshuisdekking maakt de bagagedekking van een reisverzekering dus overbodig. Heeft u zo'n verzekering, dan kunt u geld besparen door de bagagedekking uit uw reisverzekering te halen als dat mogelijk is. Voor andere zaken, zoals het vergoeden van ziekenhuisnota's of repatriëring, kan een reisverzekering wel nuttig zijn, afhankelijk van het land waar u naartoe gaat en of u bijvoorbeeld riskante activiteiten gaat ondernemen. Zie par. 3.5 voor meer informatie over reisverzekeringen.

Kostbaarhedenverzekering

Voor het verzekeren van dure spullen is ook een kostbaarhedenverzekering mogelijk (zie par. 2.4), maar die kan niet tippen aan een inboedelverzekering met buitenshuisdekking of een losse buitenshuisverzekering. De dekking geldt bij een kostbaarhedenverzekering namelijk alleen voor specifieke, exact omschreven kostbare spullen. Die moet u op eigen kosten laten taxeren en expliciet in de polis laten opnemen.

Er is één heel belangrijk verschil tussen een kostbaarhedenverzekering en de buitenshuisdekking: bij een kostbaarhedenverzekering verzekert u elk sieraad afzonderlijk, bij de buitenshuisdekking niet.

Bij de buitenshuisdekking zijn de lijfsieraden die u buitenshuis draagt tot een maximumbedrag verzekerd. Als de waarde van de sieraden onder dit maximum blijft, is de volledige schade gedekt. U kunt dus volstaan met een lagere dekking. Stel: u heeft voor €10.000 aan lijfsieraden, maar de waarde van het duurste stuk is lager dan €2000. U neemt immers niet alle sieraden tegelijk mee naar buiten. De dekking hoeft dan niet hoger te zijn dan €2000. Bij de kostbaarhedenverzekering moet u het hele bedrag verzekeren.

Een ander verschil is dat de kostbaarhedenverzekering zowel in als buiten het huis dekking biedt. Bij de buitenshuisdekking is er geen dekking in de woning. U moet de sieraden dan ook meenemen in de inboedelverzekering.

Bij de kostbaarhedenverzekering is er altijd sprake van werelddekking. Ook de meeste verzekeringen met buitenshuisdekking kennen werelddekking, maar bij Avéro Achmea, BLG, DAK, Delta Lloyd, ING, OHRA, Reaal en SNS Bank reikt de dekking niet verder dan de Nederlandse grens. Wie op vakantie gaat naar het buitenland heeft bij deze maatschappijen dus sneller een reisverzekering nodig. Voor verlies gelden soms ook beperkingen.

2.4   Kostbaarheden

Zoals u heeft kunnen lezen, hanteren verzekeraars binnen de inboedelverzekering een maximale dekking voor kostbare goederen. Ook aan het bijverzekeren van kostbare goederen zijn grenzen gesteld. Als de waarde van de kostbaarheden een te groot percentage van de totale inboedel vormt, verwijst de verzekeraar u door naar de kostbaarhedenverzekering. De premie van deze verzekering is een stuk hoger dan de basispremie bij de inboedelverzekering. Maar in vergelijking met de premie inclusief premieopslag boven op de maximumdekking van de inboedelverzekering is het premieverschil al een stuk kleiner. Het voordeel van de werelddekking maakt de verzekering dan weer het overwegen waard.

Door de opkomst van de buitenshuisdekking (zie de vorige paragraaf) is het belang van de kostbaarhedenverzekering de laatste jaren weer een stuk kleiner geworden.

2.4a   Dekking

De dekking van de kostbaarhedenverzekering betreft alleen specifieke, exact omschreven stukken. Die moeten expliciet in de polis worden opgenomen. Bij audiovisuele apparatuur en lijfsieraden is er altijd werelddekking.

Hoewel de kostbaarhedenverzekering een zeer ruime dekking biedt, bestaan er altijd uitsluitingen. Niet gedekt is bijvoorbeeld schade door aardbeving, vulkaanuitbarsting, overstroming, kernenergie en molest. Dat zijn de uitsluitingen zoals die voor elke schadeverzekering gelden. Daarnaast zijn er min of meer specifiek voor de kostbaarhedenverzekering geldende uitsluitingen, zoals schade die het gevolg is van reiniging, reparatie of bewerking van de verzekerde voorwerpen. Verder wordt ook schade die is ontstaan door professioneel gebruik vaak uitgesloten. Voor audio- en videoapparatuur kunt u dit risico tegen een extra premie bijverzekeren.

Andere belangrijke uitsluitingen hebben betrekking op het 'eigen gebrek', denk hierbij aan een steen die uit de zetting van een ring valt, en op onvoldoende zorg, zoals bij diefstal uit een onbeheerde auto.

2.4b Categorieën

Kostbaarheden zijn ingedeeld in categorieën. Zo kunt u tegenkomen:

- audiovisuele apparatuur (beeld- en geluidsapparatuur, ontvangst- en zendapparatuur, computers inclusief alle bijbehorende cd's, software, dvd's);
- optische instrumenten (fototoestel, microscoop);
- bont;
- muziekinstrumenten (viool, piano);
- lijfsieraden;
- overige sieraden (dus niet bedoeld om op het lichaam te dragen);
- schilderijen;
- antiek;
- verzamelingen (bijvoorbeeld postzegel- of muntenverzameling);
- overige kostbaarheden.

U bepaalt zelf welke categorie u wilt verzekeren. Voor elke groep kunnen aparte voorwaarden en premies gelden. Een computer zal snel in waarde verminderen, maar bij lijfsieraden of schilderijen is dat doorgaans niet het geval.

Bij lijfsieraden geldt altijd werelddekking. U wilt uw mooie collier immers ook buitenshuis dragen. Voor schilderijen zult u minder behoefte aan werelddekking hebben. U kunt, afhankelijk van de verzekeraar, vaak per categorie kiezen voor werelddekking, Europadekking, Nederlanddekking of alleen dekking binnenshuis.

Veiligheidsmaatregelen

Het voorkomen van schade speelt bij de kostbaarhedenverzekering een belangrijke rol. De eisen verschillen per verzekeraar en zullen strenger zijn naarmate de waarde van de verzekerde spullen hoger is. Neemt u vrijwillig bepaalde veiligheidsmaatregelen, dan ontvangt u vaak een premiekorting.

Vrijwel alle verzekeraars stellen de eis dat u zorgvuldig genoeg bent met de verzekerde spullen. Heeft u daar niet aan voldaan en komt het tot een schade, dan hoeven ze niet uit te keren.

2.4c   Sieraden

Bij sieraden wordt de verzekerde som doorgaans vastgesteld met behulp van een voortaxatie. De kosten van de taxatie zijn meestal voor uw rekening. Gaat het om nieuwe sieraden, dan wordt uitgegaan van de aankoopnota. Een voortaxatie moet u doorgaans elke zes jaar herhalen. Doet u dat niet, dan vervalt de taxatie als basis voor de waardevaststelling en wordt de omvang van de schade met andere middelen vastgesteld. Zo'n hertaxatie is dus van groot belang, ook met het oog op waardestijging of -daling in de looptijd van de verzekering.

Vrijwel alle maatschappijen keren bij verlies of diefstal van sieraden de verzekerde som uit. U moet op een premie van ongeveer 2 tot 2,5% van de verzekerde som rekenen. Inclusief assurantiebelasting bent u voor €10.000 aan lijfsieraden per jaar €200 tot €250 aan premie kwijt.

2.4d   Audio en video

Bij nieuwe audio- en videoapparatuur wordt de verzekerde som vastgesteld aan de hand van de aankoopnota. Bij wat oudere apparatuur kan meestal worden volstaan met een door een handelaar getekende verklaring. Bij beschadiging van het voorwerp worden de reparatiekosten vergoed, tot maximaal het bedrag van de verzekerde som.

De vergoeding bij totaalverlies, bijvoorbeeld bij brand of diefstal, is sterk afhankelijk van de verzekeraar en het specifieke apparaat. Sommige verzekeraars beginnen al na een jaar met afschrijven, andere keren vijf jaar lang de verzekerde som uit, tenzij het een voorwerp betreft dat sterk aan veroudering onderhevig is. Weer andere hanteren dezelfde systematiek als bij de inboedelverzekering: u ontvangt de nieuwwaarde, tenzij de dagwaarde minder is dan 40% van de nieuwwaarde. In dat laatste geval wordt de dagwaarde uitgekeerd.

Voor een videocamera, waarvoor altijd een buitenshuisdekking geldt, moet u rekenen op een premie van zo'n 3%. Voor andere audiovisuele apparatuur, waarvoor u alleen een binnenshuisdekking wenst, kan de premie afhankelijk zijn van de regio waar u woont. Doorgaans ligt de premie in dezelfde orde van grootte als bij het bijverzekeren op de inboedelpolis: zo'n 1,5% van de verzekerde som.

2.4e   Overige kostbaarheden

Kostbaarheden als tin, porselein, beelden en schilderijen lijken wat betreft het vaststellen van de verzekerde waarde en de schaderegeling sterk op sieraden. Het grootste verschil is dat in de meeste gevallen binnenshuisdekking voldoende is. Reken bij schilderijen op een premie van rond 0,4% inclusief assurantiebelasting. De premieverschillen tussen de verzekeraars kunnen aanzienlijk zijn.

Muziekinstrumenten, foto- en filmapparatuur en andere instrumenten worden meer behandeld als audio- en videoapparatuur. Maar gaat het bijvoorbeeld om een viool, dan wordt vaak met een voortaxatie gewerkt: op zo'n instrument afschrijving toepassen is immers vaak irreëel.

Voor muziekinstrumenten als een viool moet u rekenen op een premie die tussen 1,5 en 2% ligt. Voor andere instrumenten is de premie sterk afhankelijk van de verzekeraar en van het soort instrument. De premie kan uiteenlopen van 1 tot 5%. Voor fotoapparatuur kan de premie oplopen tot 4%.

> **Tip**
>
> ## Wacht met vervangen
>
> Gestolen of verloren voorwerpen kunnen na verloop van tijd weer boven water komen. Daarom zal de verzekeraar pas uitkeren nadat u afstand van uw eigendomsrecht heeft gedaan. Duikt uw eigendom daarna weer op, dan is de verzekeraar eigenaar van het goed, mits u de verzekeringsuitkering al heeft ontvangen. De politie zal het gevonden voorwerp dan ook aan de verzekeraar overhandigen.
>
> Dit lijkt een vanzelfsprekende regeling, maar het wordt anders als u tot een ruil wordt verplicht. U kunt immers al tot vervanging zijn overgegaan. De verzekeraar bedingt verplichte ruil vaak in de voorwaarden. Vervang verloren voorwerpen daarom niet al te snel.

2.4f   Uw keus

Het uitgangspunt is dat u uw kostbare inboedel goed verzekerd wilt hebben tegen een redelijke premie. Voor spullen die het huis niet verlaten (schilderijen, antiek), sluit u een inboedelverzekering af. Heeft u zo veel kostbare spullen in huis dat de verzekeraar deze niet op de inboedelverzekering wil verzekeren, dan is de kostbaarhedenverzekering de aangewezen keus. Hetzelfde geldt als u één heel bijzonder schilderij of ander kunstvoorwerp heeft, waarvan u zeker wilt zijn dat u bij verlies de getaxeerde waarde uitgekeerd krijgt.

Heeft u lijfsieraden die u regelmatig buitenshuis draagt en wilt u een eventueel verlies hiervan gedekt hebben, dan is de buitenshuisdekking de eerste keus. U kiest dan natuurlijk geen aanbieder met een lage maximumdekking. Is het bedrag aan lijfsieraden zo hoog dat u hiervoor een premieopslag moet betalen op uw inboedelverzekering, dan wordt de kostbaarhedenverzekering weer interessant. U bespaart dan zowel premie op de inboedelverzekering als op de buitenshuisdekking.

Voor overige goederen zult u niet snel een kostbaarhedenverzekering nodig hebben. Een inboedelverzekering met buitenshuisdekking biedt doorgaans voldoende dekking. Natuurlijk zijn er altijd goederen waarvoor een kostbaarhedenverzekering wel eerste keus is. Denk bijvoorbeeld aan het verzekeren van een kostbare viool.

Ga voor een combinatie

Soms is het onduidelijk of een schade onder de inboedel- of de woon-huisverzekering valt. En met een beetje pech kun je als consument zelfs tussen de wal en het schip vallen. Om oeverloze discussies en teleurstellingen te voorkomen, adviseert de Consumentenbond om de woonhuis- en de inboedelverzekering bij één maatschappij af te sluiten. Dat wordt de woonverzekering genoemd.

Daar zijn meer redenen voor. Stel er waait een tak door het woonka-merraam, waarbij ook de bank achter het raam beschadigd raakt. Heb je één verzekeraar, dan hoef je maar één keer melding te doen. De ruit valt onder de woonhuisverzekering en de bank onder de inboedelver-zekering. Ook komt er maar één schade-expert aan te pas.

Verder zijn extra kosten, zoals opruimings- en expertisekosten, doorgaans op beide polissen meeverzekerd. Er is dus geen gedoe wie de handen uit de mouwen moet steken en wie welke kosten voor zijn rekening moet nemen.

Nog een voordeel van een gecombineerde inboedel- en woonhuis-verzekering is dat dit bij veel verzekeraars korting oplevert. Maar een koopjesjager zal waarschijnlijk voor elke verzekering bij een andere maatschappij uitkomen. Wie de goedkoopste losse verzekeringen wil, doet er verstandig aan grondig uit te zoeken wat verzekeraars onder inboedel en woonhuis verstaan, en of alles is gedekt.

Van de inboedelwaarde aftrekken

Denk eraan het verzekerde bedrag op de inboedelpolis te verlagen als u een kostbaarhedenverzekering afsluit.

2.5   AVP

U kunt uw eigen spullen goed verzekerd hebben, maar hoe zit het als door uw toedoen iemand anders schade lijdt? In principe draait u voor die kosten op. De kosten van een gebroken ruit, beschadigde kleding of een beschadigd gebit kunt u wellicht zelf dragen. Maar bij letselschade kan het om zeer hoge bedragen gaan, zoals de kosten van medische behandeling, inkomstenderving en smartengeld. Als u dan geen AVP heeft, kan dat voor u én voor het slachtoffer vervelende gevolgen hebben. Iedereen heeft dus een AVP nodig. In grote lijnen zijn de polisvoorwaarden bij de verschillende verzekeraars gelijk, maar op enkele essentiële punten verschillen ze. Met name als u kinderen of huisdieren heeft, is een zorgvuldige keus van belang.

Voor het geld hoeft u het niet te laten. Als gezin heeft u een goede verzekering voor €50 à €60 per jaar. Kiest u voor een beperkt eigen risico van bijvoorbeeld €90, dan kan het nog wat voordeliger.

2.5a   Wanneer keert de AVP uit?

Een wijdverbreid misverstand en een bron van veel geschillen tussen verzekeraar en verzekerde is de gedachte dat de AVP tot uitkering komt zodra u schade heeft veroorzaakt. In alle gevallen moet eerst worden vastgesteld of u volgens wet en rechtspraak wel aansprakelijk bent. Alleen als dat het geval is en er geen sprake is van een in de voorwaarden genoemde uitsluiting, keert de verzekeraar uit.

De verzekeraar keert uit

In de volgende situaties keert de verzekeraar normaal gesproken wel uit.

- U plaatst uw fiets op onzorgvuldige wijze voor de etalageruit van een winkel. Uw fiets valt om en daardoor ontstaat schade aan de winkelruit, waarvoor u aansprakelijk bent.
- Tijdens een wandeling bijt uw hond onverwacht naar een jogger. In de regel bent u als eigenaar van het dier aansprakelijk voor de schade.
- Een losliggende dakpan valt van uw huis op een voorbijganger. Doorgaans bent u als eigenaar van het huis aansprakelijk voor de schade.

In het eerste voorbeeld in het kader is de schade door uw schuld ontstaan. Dan wordt gesproken van 'schuldaansprakelijkheid'. In de andere voorbeelden heeft u mogelijk geen schuld aan het ontstaan van de schade, maar kan deze u op grond van de wet wel worden toegerekend. Dat heet 'risicoaansprakelijkheid'. Daarnaast bestaat er ook nog de groepsaansprakelijkheid (zie par. 2.5e).

90

Geen uitkering

In de volgende voorbeelden zal de verzekeraar niet uitkeren.

- Tijdens een voetbalwedstrijd krijgt een van uw tegenstanders de bal recht in zijn gezicht, waardoor een van zijn tanden beschadigd raakt. De verzekeraar zal niet uitkeren, omdat zo'n ongelukje tot de normale risico's van het deelnemen aan een voetbalwedstrijd hoort.
- U bent bij vrienden op bezoek en gaat in een stoel zitten waar een bril op ligt. Die bril overleeft het niet onbeschadigd. De verzekeraar keert niet uit, omdat u niet aansprakelijk bent voor deze schade. U hoeft er niet op bedacht te zijn dat er een bril op de stoel ligt.
- Als u uw kleinkind op schoot neemt en het kind trekt uw bril van uw neus waarbij hij stuk gaat, keren veel verzekeraars niet uit. Door het kind op schoot te nemen, heeft u het risico genomen dat het onver-wachts uw bril grijpt. Gebeurt hetzelfde terwijl u met het kind op de arm de trap afloopt, dan zal de verzekeraar wel over de brug komen. Niemand kan immers van u verlangen dat u zonder bril de trap afgaat.

Mogelijk zult u zich in deze voorbeelden moreel geroepen voelen de schade te vergoeden. Daar heeft de verzekeraar weinig boodschap aan. De AVP dekt de op 'wet en rechtspraak' gegronde aansprakelijk-heid van een verzekerde. Hier is dus sprake van verschil tussen recht en rechtvaardigheid. Als u de schade toch wilt vergoeden, moet u dat uit eigen zak betalen.

Begrijpelijke taal

Het vergelijken van AVP's is tegenwoordig een stuk gemakkelijker dan een aantal jaar geleden. De verzekeraars omschrijven de polisvoorwaarden tegenwoordig in zogeheten B1-taal. Dat staat voor taalgebruik dat bijna iedereen (zo'n 95% van de bevolking) kan begrijpen.

2.5b   Voor alleenstaanden en gezinnen

Een AVP voor alleenstaanden biedt dekking voor de verzekeringnemer en voor minderjarige logés (voor zover hun aansprakelijkheid niet wordt gedekt door een eigen AVP). Ook het 'huispersoneel' is gedekt, voor zover hun aansprakelijkheid verband houdt met werkzaamheden ten behoeve van de verzekeringnemer.

Bij een gezinspolis zijn dezelfde personen verzekerd als hierboven aangegeven, plus de inwonende echtgenoot, geregistreerde partner, personen die met de verzekeringnemer in gezinsverband samenwonen, minderjarige kinderen en meerderjarige ongehuwde kinderen die bij de verzekeringnemer inwonen of voor studie uitwonend zijn. De dekking voor uitwonende kinderen verschilt per verzekeraar.

Verder zijn op de gezinspolis ook inwonende grootouders, ouders, schoonouders en ongehuwde bloed- en aanverwanten verzekerd. Twee samenwonenden kunnen een gezinspolis sluiten.

Onderlinge aansprakelijkheid

Gezinsleden die op één polis verzekerd zijn, kunnen ook elkaar schade berokkenen. De AVP geeft in zo'n geval alleen dekking voor persoonsschade en dan nog alleen als er geen (volledige) vergoeding wordt gekregen van bijvoorbeeld de zorgverzekeraar. Wie door toedoen van een gezinslid letsel oploopt, kan bijvoorbeeld tandartskosten waarvoor hij of zij niet verzekerd is of een eigen risico van de zorgverzekering op de AVP verhalen.

Het hangmatarrest

Dankzij de uitspraak van de Hoge Raad in de geruchtmakende hangmatarrest-zaak kan de ene eigenaar van bijvoorbeeld een huis, auto of dier de andere eigenaar aansprakelijk stellen voor een deel van de geleden schade. De zaak draaide om een jonge vrouw die in 2005 een dwarslaesie opliep toen een gemetselde pilaar van haar woning afbrak en op haar viel. Ze lag op dat moment in een hangmat die bevestigd was aan de pilaar – vandaar de naam 'hangmatarrest'.

Volgens de bestaande opvattingen had het slachtoffer in dit geval geen recht op vergoeding van de schade, omdat zij als het ware slachtoffer was van haar eigen woonhuis (opstal). Maar de rechter bepaalde dat zij haar partner als mede-eigenaar kon aanspreken voor de schade die haar eigen huis haar had toegebracht. Omdat er een aansprakelijkheidsverzekering was afgesloten, kwam dit voor rekening van de verzekeraar. Wel werd de aansprakelijkheid door de rechtbank beperkt tot 50%, omdat het slachtoffer zelf ook voor de helft eigenaar was van de woning. De verzekeraar ging in beroep, maar de Hoge Raad heeft het vonnis bekrachtigd en de verzekeraar moest de schade vergoeden.

2.5c   Kinderen

U bent altijd aansprakelijk voor schade die wordt veroorzaakt door uw kinderen jonger dan 14 jaar. Voor kinderen van 14 en 15 jaar wordt uitgegaan van schuldaansprakelijkheid met omkering van de bewijslast. Ouders zijn in dat geval aansprakelijk, tenzij ze kunnen aantonen dat ze het gedrag niet konden voorkomen. Zijn uw kinderen 16 jaar of ouder, dan bent u niet meer aansprakelijk voor door hen veroorzaakte schade. Vanaf die leeftijd is alleen het kind zelf aansprakelijk.

Zowel bij aansprakelijkheid van een ouder als bij aansprakelijkheid van de kinderen zelf kan de schade verhaald worden op de gezinspolis. Dat kan uiteraard alleen als die schade onder de dekking valt. Met opzet veroorzaakte schade is van dekking uitgesloten, met uitzondering van schade die is veroorzaakt door een kind jonger dan 14 jaar.

Stress

Bij Univé kwam eind 2012 een forse schadeclaim binnen van een eigenaar van een volière met bijzondere, exotische vogels. Kinderen, jonger dan 14 jaar, hadden spelenderwijs stenen in de tuin gegooid en enkele vogels waren daar zo van geschrokken, dat ze aan de stress bezweken. De schade van zo'n €20.000 is door de verzekeraar vergoed. Deze kinderen beoogden niet de vogels te doden met hun stenengooierij, maar gooiden de stenen wel opzettelijk. Maar ook schade door opzettelijk handelen (normaliter uitgesloten) wordt door de AVP gedekt als het kinderen onder de 14 betreft.

2.5d   Dekking

Alle AVP's bieden werelddekking. Voorwaarde is wel dat uw woonplaats in Nederland ligt.

Op reis?

Op vakantie wordt de AVP vaak over het hoofd gezien. Bij schade in het buitenland wordt u soms geacht direct te betalen, terwijl de schade wellicht gedekt wordt door de AVP. Neem naam en telefoonnummer van de AVP-verzekeraar daarom altijd mee op reis, zodat dit meteen geverifieerd kan worden.

Geleende ski kwijt

Martijn gaat op wintersport naar Oostenrijk. Hij heeft ski's van zijn zus geleend. Na een gezellige skiles gaat Martijn wat drinken met de rest van zijn skiklasje. In het hotel komt hij erachter dat hij een ski is vergeten. Hij haast zich terug naar het café, maar helaas staat de ski er niet meer. Terug in Nederland biecht hij een en ander op aan zijn zus. Zij vertelt Martijn dat hij dit kan claimen op zijn AVP: hij is immers onzorgvuldig geweest en daarom aansprakelijk. En inderdaad: de schade is gedekt.

Verzekerd als particulier

Bij de AVP gaat het uitdrukkelijk niet om schade die bij de uitoefening van een beroep wordt veroorzaakt. Daarvoor bestaat een afzonderlijke polis: de aansprakelijkheidsverzekering voor bedrijven en beroepen (AVB). Het gaat puur om schade die u als particulier persoon veroorzaakt. De AVP dekt wel schade die kinderen veroorzaken bij het uitvoeren van vakantie- of vrijetijdswerk, bijvoorbeeld het bezorgen van kranten. Bij sommige maatschappijen is dat overigens uitsluitend het geval bij minderjarige kinderen.

Loopt uw kind stage, dan biedt de AVP doorgaans ook dekking (geldt niet voor eventuele vorderingen van de werkgever). Zowel voor vakantiewerk als voor een stage geldt dat de AVP alleen tot uitkering komt als het bedrijf waar het kind werkt zelf geen aansprakelijkheidsverzekering heeft. Schade die u toebrengt als onbetaald vrijwilliger (jeugdleider, bestuurslid van een vereniging enzovoort) valt bij de meeste verzekeraars ook onder de dekking. Zodra u voor dit vrijwilligerswerk enige betaling ontvangt, kan de dekking vervallen.

2.5e   Dekking in verschillende situaties

Joyriding

Als een kind onder de 18 jaar zonder toestemming van de eigenaar met een auto, motor of brommer gaat rijden en brokken maakt, biedt de AVP daarvoor dekking. Werd er niets geforceerd, dan moet eerst de wettelijke aansprakelijkheidsverzekering motorvoertuigen (WAM) worden aangesproken. De AVP keert pas uit als deze verzekering ontbreekt of als er

94

wel iets werd geforceerd. Schade aan het voertuig zelf is op sommige polissen niet, maar bij de meeste verzekeraars beperkt gedekt.

Te land, ter zee en in de lucht
Schade veroorzaakt met onder andere auto's, motoren, brom- en snorfietsen, valt niet onder de AVP, want daarvoor bestaan verplichte motorrijtuigenverzekeringen (zie par. 3.1). Schade die is toegebracht met kleine gemotoriseerde gebruiksvoorwerpen, zoals motormaaimachines of op afstand bestuurde modelauto's, valt wel onder de dekking.

De schade die u aanricht als passagier van een auto, boot of vliegtuig, inclusief die aan het vervoermiddel zelf, is bij alle verzekeraars gedekt. Wel wordt altijd eerst gecontroleerd of de aansprakelijkheid niet wordt gedekt door een andere verzekering.

AVP's dekken nauwelijks schade door dingen die uit de lucht komen vallen. Niet alleen schade die wordt veroorzaakt door een vliegtuig is uitgesloten, maar ook schade door bijvoorbeeld modelvliegtuigen, zeilvliegtuigen, een valscherm of een kabelvlieger.

De meeste AVP's bieden dekking voor roeiboten, kano's, zeilplanken en zeilboten met maximaal 16 m^2 zeil. De boot mag doorgaans een (buitenboord)motor hebben van maximaal 3 kW (ongeveer 4 pk); sommige verzekeraars kennen een ruimere dekking. Heeft u een zeilboot, dan is schade aan personen in ieder geval altijd gedekt. Bij meer dan de helft van de verzekeraars is ook zaakschade gedekt.

Krachtige boot

U moet extra aandacht besteden aan een verzekering als u met een zeilboot vaart of gebruikmaakt van een motor met een vermogen van meer dan 3 kW. Vaart u regelmatig met een zeilboot of met een boot met een motor van meer dan 3 kW, informeer dan bij uw maatschappij of de verzekering zich niet beperkt tot persoonsschade, maar ook eventuele zaakschade dekt. Biedt uw verzekeraar deze dekking niet, dan moet u een pleziervaartuigverzekering met WA-dekking afsluiten! Zie par. 3.4.

Schade door dieren
Door dieren toegebrachte schade valt onder de dekking van de AVP, mits u de dieren niet beroepsmatig houdt.

Onroerend goed en huur

Iedere AVP biedt dekking voor de aansprakelijkheid voor schade die uit het bezit van een eigen huis (waar u zelf in woont) voortvloeit. Denk bijvoorbeeld aan een dakpan die van uw dak valt. Waait de dakpan tijdens een storm (ten minste windkracht 7) van uw dak op de auto van de buurman, dan bent u niet aansprakelijk en zal de verzekering niet uitkeren. Gebeurt hetzelfde bij windkracht 6, dan bent u wel aansprakelijk en is er dus dekking. Als huurder mag u ervan uitgaan dat uw verhuurder de woning tegen onder andere brandschade heeft verzekerd. Daarbij is het goed te weten dat op grond van een onderlinge afspraak woonverzekeraars brandschade vrijwel nooit verhalen op aansprakelijkheidsverzekeraars.

Doorgaans zijn zaken die u gehuurd heeft, uitgesloten van een AVP. Dat geldt ook voor een huurwoning in eigen land. Verreweg de meeste AVP-verzekeraars keren bij schade aan het gehuurde niet uit. Zij gaan er namelijk van uit dat de verhuurder (de eigenaar) al een verzekering heeft. Alle verzekeraars dekken de aansprakelijkheid van de verzekerde als eigenaar van een (vakantie)woning, stacaravan en dergelijke die niet uitsluitend aan anderen wordt verhuurd. Bij de meeste verzekeraars gaat het om dekking binnen Europa.

In de ons omringende landen kunt u, als door uw toedoen brandschade ontstaat aan een gehuurde vakantiewoning en/of inboedel, geconfronteerd worden met een forse schadeclaim. De AVP biedt daarvoor wel dekking, ongeacht het land.

Belangrijke begrippen

Iedere verzekeringsvorm heeft zo zijn bijzondere aspecten die extra aandacht verdienen, bijvoorbeeld omdat er rond de schadeafwikkeling problemen of klachten uit kunnen voortkomen.

Opzichtclausule. U zult weleens spullen van iemand anders lenen, zoals gereedschap, boeken of cd's. De verzekeraar zegt in zo'n geval dat u de spullen 'onder zich heeft' en spreekt ook wel van 'opzicht'. Brengt u als verzekerde schade toe aan een geleende zaak, dan bieden de verzekeraars daarvoor een beperkte dekking.

Van opzicht kan ook sprake zijn als u spullen van iemand anders vervoert, bewerkt, behandelt, bewaart of gebruikt. De verzekeraars gaan als het goed is alleen uit van opzicht als u de spullen niet alleen min of meer terloops onder u heeft. Zo is de beperkte dekking wel van toepassing als u de van uw buurman geleende grasmaaier beschadigt, maar niet als u ergens op visite bent en u een meubelstuk beschadigt dat u verplaatst om te kunnen gaan zitten.

U hoeft geen schadevergoeding te verwachten als u de beschadigde spullen heeft gehuurd of geleased. Hetzelfde geldt als u de spullen uit hoofde van het uitoefenen van een (neven)beroep onder u had, als u de zaken onrechtmatig onder u had of als het gaat om onder andere motorrijtuigen, (sta)caravans en vaartuigen. Dit soort opzicht wordt namelijk vrijwel altijd uitgesloten.

Geld en pasjes

Schade als gevolg van verlies, vermissing of diefstal van geld, geldswaardige papieren, bank-, giro- en betaalpassen en creditcards die een verzekerde of iemand anders namens hem onder zich heeft, wordt door de meeste verzekeraars uitgesloten.

Opzetclausule. Opzettelijk veroorzaakte schade wordt uitgesloten van de AVP. Zoals eerder gezegd, vervalt deze uitsluiting bij schade aangebracht door kinderen jonger dan 14 jaar.

De verzekeraars willen daders van geweld of seksuele delicten geen financiële bescherming bieden. Dat vindt men principieel onjuist. Om deze reden hebben de verzekeraars de opzetclausule verder aangescherpt. Wil de uitsluiting van kracht zijn, dan is het niet meer nodig dat je beoogt iemand invalide te slaan (dat was in het verleden wel het geval). Het is nu voldoende dat er opzet in het spel is: je slaat met opzet. Dat je daarbij onder invloed van alcohol of drugs verkeert, geldt bovendien niet meer als verzachtende omstandigheid.

Groepsaansprakelijkheid. U kunt (mede) aansprakelijk worden gesteld voor de schade die door anderen is veroorzaakt als die schade werd toegebracht terwijl u samen met die andere personen in groepsverband optrad. Voorwaarde is wel dat het gedrag van de groep zodanig was dat een weldenkend mens zich eigenlijk uit de groep had moeten terugtrekken.

2.5f   Niet aansprakelijk, toch dekking

De polisvoorwaarden van de AVP zijn in grote lijnen bij de meeste verzekeraars gelijk. Op details kunnen de polissen wel verschillen. Er kunnen verschillende clausules in de voorwaarden opgenomen zijn waardoor de verzekeraar wel uitbetaalt, ook al bent u niet aansprakelijk. We bespreken enkele veelvoorkomende clausules.

Oppassen en logeren

Voor schade ontstaan tijdens oppassen door vrienden, familie of kennissen geldt geen wettelijke aansprakelijkheid. Door het in hun huis laten spelen van het kind, aanvaarden de ontvangende ouders in principe het risico dat er tijdens het spelen iets sneuvelt. Dat had net zo goed hun eigen kind kunnen overkomen. Bij de meeste verzekeraars is er dan geen dekking.

Sommige AVP's hebben een *oppasclausule*, waardoor schade die uw kind bij iemand anders thuis aanricht toch op de AVP kan worden geclaimd. Voorwaarde is wel dat de schade is geleden door degene(n) bij wie wordt gelogeerd of door wie wordt opgepast. Op de site van de Consumentenbond vindt u een overzicht van de aanbieders die deze clausule hebben opgenomen.

Of schade daadwerkelijk wordt vergoed, verschilt per situatie. De verzekeraar zal eerst beoordelen of de schade mede het gevolg is van een omstandigheid die de oppasser kan worden aangerekend. Een voorbeeld: de oppas geeft piepjonge kinderen bij haar thuis een schaar en gaat zelf naar de keuken. Bij terugkomst is er in haar tafelkleed geknipt. Een verzekeraar zal dan niet geneigd zijn tot uitkering over te gaan.

Sport en spel

Een toeschouwer bij een honkbalwedstrijd krijgt een bal in zijn gezicht en breekt zowel een jukbeen als zijn bril. Volgens de wet is hierbij geen aansprakelijkheid in het spel. Daarvoor moet immers iets onrechtmatigs zijn gebeurd en je kunt een honkbalspeler moeilijk aanrekenen dat hij een bal met grote snelheid wegslaat.

Geluk bij een ongeluk: de AVP van de honkballer bevat een *sport- en spelclausule*. Dankzij deze clausule wordt de schade (soms gedeeltelijk) vergoed als:

- de sportende veroorzaker niet aansprakelijk is;
- de benadeelde geen medesporter of -speler is;
- de schade niet de schuld is van de benadeelde.

Is aan deze voorwaarden voldaan, dan keren enkele verzekeraars uit. Op de site van de Consumentenbond kunt u zien om welke aanbieders het gaat.

Vriendendienst

In verzekeringstermen heet een onbetaalde klus een 'vriendendienst'. Wettelijk gezien bent u meestal niet aansprakelijk voor schade veroorzaakt tijdens een vriendendienst. U klust op het risico van de benadeelde. Dat zou betekenen dat een verzekeraar schade nooit vergoedt. In het verleden was dit ook vaak het geval.

Maar bij schade veroorzaakt tijdens een vriendendienst is er vaak een verschil tussen recht en rechtvaardigheid. Er zijn situaties te bedenken waarin u per ongeluk iets stukmaakt en u zich moreel geroepen voelt de schade te vergoeden, ook al bent u juridisch niet aansprakelijk. Alle verzekeraars hebben hier inmiddels in voorzien door het opnemen van een *vriendendienstclausule* in de voorwaarden.

Maatstaf voor de verzekeraar is of u wel aansprakelijk zou zijn geweest als u de schade niet in het kader van een vriendendienst zou hebben toegebracht. Bovendien mag de schade niet (mede) de schuld van uw buren of vrienden zijn. Daarnaast stellen veel verzekeraars een maximum aan de uitkering, doorgaans rond de €12.500.

Witten bij de buurman

U helpt uw buurman met witten en laat, ondanks zijn dringende en herhaalde verzoek, een open verfblik op de grond staan. Als u dat blik vervolgens omtrapt en de vloerbedekking beschadigt, bent u aansprakelijk. De schade zal dan worden vergoed door de AVP.

Wat als uw buurman niet uitdrukkelijk heeft gewaarschuwd en als u een verfblik omtrapt waarvan niet zeker is wie het open heeft laten staan? Dan kan de verzekeraar menen dat u niet te veel risico heeft genomen en schadevergoeding weigeren.

2.5g   Verzekerde som en premie

Verzekerde som

Een AVP begint doorgaans bij een verzekerde som van €1.250.000. Dat is vrijwel altijd voldoende. U kunt ook voor een verzekerde som van

€2.500.000 kiezen, daarvoor moet u wel meer premie betalen. Gezien de absolute hoogte van de premie hoeft dat geen bezwaar te zijn.

Voor de hoogte van de premie maakt het bij verreweg de meeste verzekeraars niet uit waar u woont. In principe kunnen er verschillende premies gelden voor een gezin met kinderen, een gezin zonder kinderen, een alleenstaande met kinderen en een alleenstaande zonder kinderen.

Eigen risico

De hoogte van de premie wordt voor een groot deel bepaald door de hoogte van het eigen risico dat u kiest. Hoe hoger het eigen risico, hoe lager de premie.

Tip

Kinderen het huis uit?

De eigen risico's en bijbehorende premiekortingen kunnen niet alleen gelden bij nieuwe verzekeringen, maar ook bij lopende posten. Iets om aan te denken als de kinderen het huis uit zijn!

2.5h   Uw keus

Wij adviseren de AVP vooral op basis van de voorwaarden te kiezen. Procentueel zijn de premieverschillen fors, maar u bespaart maximaal een paar tientjes per jaar. De hoogte van de premie is bij de keus doorgaans niet doorslaggevend. Bovendien kunt u de premie aanzienlijk laten dalen door te kiezen voor een hoger eigen risico. Wat voor u de beste keus is, is afhankelijk van uw persoonlijke situatie.

Heeft u kinderen, dan verdient een verzekering die dekking biedt bij oppassen of logeren de voorkeur. Beoefent u een sport, dan ligt de keus van een verzekeraar met een sport- en spelclausule voor de hand. En doet u aan extreme sporten, bijvoorbeeld parachutespringen, dan moet u bij de verzekeraar van uw keus bekijken of hij deze activiteiten dekt.

Wie graag samen met vrienden en/of familie de handen uit de mouwen steekt, kan het best een verzekering kiezen die goed scoort wat betreft 'vriendendienst'. Doet u onbetaald vrijwilligerswerk, dan moet u erop letten dat uw verzekering op dit punt dekking biedt.

03 | VERVOER & REIZEN

Schaden in het verkeer kunnen behoorlijk oplopen. En op reis of tijdens uw vakantie kan er van alles gebeuren. In dit hoofdstuk leest u welke verzekeringen verplicht zijn en welke wij aanraden.

We geven u eerst meer informatie over het verzekeren van transportmiddelen, zoals uw auto, fiets, caravan en boot. Daarna komen de (doorlopende) reisverzekering en de annuleringsverzekering aan bod.

3.1 Auto

Bezit u een auto, dan heeft u in ieder geval te maken met de wettelijke aansprakelijkheidsverzekering (WA) en eventueel met de cascoverzekering. De WA-verzekering is in Nederland verplicht en dekt schade die u met uw auto aan een ander of aan zijn goederen toebrengt en waarvoor u aansprakelijk bent (zie par. 3.1a).

De cascoverzekering vergoedt schade aan uw eigen auto, ook als die schade uw eigen schuld is. Naast volledig casco is er ook een beperkt-casco-autoverzekering (zie par. 3.1b). Deze zit qua dekking tussen de WA- en cascoverzekering in.

Neemt u zowel een WA- als een cascoverzekering, dan krijgt u daarvoor meestal één polis. Men spreekt dan van een allriskverzekering, maar die term dekt de lading niet helemaal. Niet alle risico's die u (in het verkeer) met de auto loopt, zijn ermee gedekt (zie par. 3.1c).

WA- en cascoverzekering hebben meestal Europadekking, inclusief een aantal landen rond de Middellandse Zee (zie uw groene kaart).

3.1a   WA

De wet verplicht autobezitters een WA-verzekering te nemen en schrijft voor tot welk bedrag dat minimaal moet gebeuren: €5,6 miljoen. Meer mag dus, maar hoeft niet.

De WA-verzekering dekt de schade aan anderen die:

- is toegebracht terwijl u de auto zelf heeft bestuurd;
- is veroorzaakt terwijl u iemand anders achter het stuur heeft gelaten;
- is veroorzaakt door goederen die met de auto zijn vervoerd, bijvoorbeeld goederen die van het imperiaal zijn gevallen.

De schade aan goederen die met de auto zijn vervoerd en de schade die wordt geleden door de bestuurder vallen niet onder de WA-verzekering. Schade van andere inzittenden weer wel. Ook schade die wordt veroorzaakt door iemand die uw auto heeft gestolen, is uitgesloten. Hiervoor moet u bij het Waarborgfonds Motorverkeer aankloppen (www.wbf.nl). Als iemand schade heeft waarvoor u aansprakelijk bent, kan hij vergoeding daarvan direct bij uw verzekeringsmaatschappij opeisen. Mocht de verzekeraar in de overeenkomst bepaalde omstandigheden hebben opgenomen waaronder hij niet uitkeert, bijvoorbeeld als er onder invloed is gereden of als de premie niet tijdig is betaald, mag hij zich daarop tegenover de benadeelde niet beroepen. De verzekeraar moet de schade gewoon vergoeden, maar kan die wel op u verhalen.

Meestal neem je een WA-verzekering als de premie voor een uitgebreidere dekking niet meer in verhouding staat tot de dagwaarde van de auto. Dat omslagpunt ligt bij zo'n acht tot tien jaar, maar is voor iedereen verschillend en hangt af van allerlei factoren, waaronder:

- de leeftijd van de auto;
- het (werkelijke) aantal schadevrije jaren dat u heeft opgebouwd;
- het risico dat u kunt en wilt dragen bij onverhoopt totaalverlies van de auto.

Leeftijdsdiscriminatie

Sommige autoverzekeraars doen aan leeftijdsdiscriminatie. Ze verhogen bijvoorbeeld de premie als iemand 70 wordt of weigeren zelfs nieuwe klanten boven een bepaalde leeftijd.

Wettelijk gezien mogen verzekeraars onderscheid maken naar leeftijd. De Wet gelijke behandeling op grond van leeftijd bij de arbeid, ziet alleen toe op arbeid, niet op diensten. Voor autoverzekeringen geldt bovendien geen acceptatieplicht.

Een troost is wellicht dat leeftijdsonderscheid niet alleen plaatsvindt bij ouderen. Ook jongeren betalen meer voor hun autoverzekering, omdat zij meer brokken maken.

3.1b   Beperkt casco

Een autoverzekering met WA+-dekking biedt meer dan alleen de WA-verzekering. Ook schade aan de eigen auto is hierbij deels verzekerd. Het gaat dan bijvoorbeeld om schade door:
- brand;
- diefstal;
- ruitbreuk;
- storm;
- botsing met dieren.

De schuldvraag doet er in deze gevallen niet toe. Een autoverzekering met een WA+-dekking wordt ook wel 'WA beperkt casco' of 'WA extra' genoemd.

3.1c   Volledig casco

Voor een nieuwe auto kunt u het beste een volledige cascoverzekering afsluiten. Dat is de uitgebreidste vorm van autoverzekering. Deze verzekering wordt ook allriskverzekering genoemd, maar niet alle risico's worden afgedekt. In de polisvoorwaarden leest u welke risico's uitgesloten zijn.

Na een aantal jaar kan het verstandig zijn over te stappen naar een minder uitgebreide autoverzekering. Het omslagpunt hangt, zoals eerder beschreven in par. 3.1a, af van een veelvoud van factoren. Bij een verzekering met allriskdekking is het globaal gezien na zo'n vier tot zes jaar goed om de dekking onder de loep te nemen.

De cascoverzekering vergoedt schade aan uw eigen auto die is ontstaan door brand, diefstal, botsen, slippen, omslaan, te water raken enzovoort. Dit is dus naast de dekking die de verplichte WA-verzekering al biedt. Ook accessoires aan of in de auto zijn meeverzekerd. Daarvoor geldt vaak wel een maximumbedrag, let daarop als u een verzekering kiest.

Beveiligingseisen

Nieuwe auto's hebben een startonderbreker. Dure auto's van €50.000 à €60.000 moeten uitgerust zijn met een alarminstallatie (beveiligingsklasse 3). Voor auto's boven die prijs is een voertuigvolgsysteem vereist (beveiligingsklasse 4 of 5). Wordt uw auto gestolen en blijkt dat de vereiste beveiliging niet aanwezig was of niet functioneerde, dan zullen de meeste verzekeraars niet uitkeren. Enkele verhogen in dat geval het eigen risico naar bijvoorbeeld €1000.

Eigen risico

Bijna alle verzekeraars hanteren bij cascoschade een eigen risico (voor een WA-schade geldt in de regel geen eigen risico). De hoogte daarvan hangt onder meer af van de schadeoorzaak, de beveiliging, de waarde van de auto, leeftijd van de bestuurder en het betrokken reparatiebedrijf. Bij het afsluiten van de polis hoort u welke standaard eigen risico's de verzekeraar hanteert en welke opties u op dit punt heeft. Een aantal verzekeraars hanteert geen of een lager eigen risico als u de schade aan uw auto laat herstellen bij een door de maatschappij aangewezen schadeherstelbedrijf (zie ook hierna). Bij verschillende verzekeraars kunt u het eigen risico afkopen. Ook kunt u bij meerdere maatschappijen tegen premiekorting kiezen voor een hoger eigen risico. De korting is vaak gemaximeerd en kan afhankelijk zijn van de regio waarin u woont. Bij een hoge bonuskorting is uw voordeel een stuk kleiner dan wanneer u laag op de ladder staat (zie het kader 'No-claimkorting en eigen risico' op de volgende pagina). Het extra eigen risico dat bij een eventuele schade voor uw rekening komt, is even hoog.

No-claimkorting en eigen risico

Stel: u kiest voor een eigen risico van €400. Daar staat een premiekorting van 10% tegenover. De brutopremie van de verzekering bedraagt €2000. Bij 70% no-claimkorting betaalt u €600 premie. Tegenover het eigen risico staat een premiekorting van €60 (10% van €600). Bij een lagere no-claimkorting van 20% betaalt u €1600 premie. Een eigen risico van 40% levert dan een premiekorting van €160 op. Het voordeel van het hoge eigen risico is dan een stuk groter.

Schade

Is de auto beschadigd, dan betaalt de verzekeraar bij een cascoverzekering de reparatiekosten, verminderd met het bedrag van het eigen risico. Ook de kosten van vervoer naar de garage en noodreparaties komen voor vergoeding in aanmerking.

Steeds meer verzekeraars werken samen met geselecteerde schadeherstelbedrijven. Daarmee proberen ze de reparatiekosten onder controle te houden. Dat heeft ook voor u voordelen, want als u uw auto bij zo'n geselecteerd bedrijf laat repareren, gaat de rekening rechtstreeks naar de verzekeraar. Soms geldt een verminderd of geen eigen risico en u kunt vaak gebruikmaken van een gratis leenauto tijdens de reparatieduur.

U bent niet verplicht de auto bij zo'n aangewezen bedrijf te laten repareren, maar als u dat niet doet, kunt u ook niet van de voordelen profiteren.

3.1d   Waardeberekening bij schade aan de eigen auto

Als uw auto schade heeft opgelopen, bepaalt de verzekeraar in welke mate die schade vergoed wordt. De waarde van de auto op het moment van beschadiging en de mate van beschadiging (en dus de daling in waarde van de auto) spelen daarbij een grote rol. Als een tegenpartij schuld heeft aan de schade, valt u hiervoor terug op haar WA-verzekering.

Er is sprake van total loss als de reparatiekosten hoger zullen zijn dan het verschil in waarde vlak voor en vlak na het ongeval. De verzekeraar betaalt in dat geval alleen dat verschil in waarde uit. Bij een gloednieuwe auto heeft u te maken met de nieuwwaarderegeling. Let bij een verzekering voor een tweedehandsauto op de occasionwaarderegeling (zie hierna).

Nieuwwaarderegeling

De nieuwwaarderegeling speelt een rol als er sprake is van totaalverlies (bijvoorbeeld door een ongeluk of door diefstal) van een nieuwe auto. Vindt het totaalverlies gedurende een vastgestelde periode plaats, dan krijgt u de nieuwwaarde van de auto vergoed: het benodigde bedrag om dezelfde of een gelijkwaardige auto aan te schaffen.

De meeste verzekeraars stellen de nieuwwaarde gelijk aan het bedrag waarvoor de auto in de catalogus staat, maar een op de vijf verzekeraars baseert zich op het bedrag dat bij aanschaf is betaald. Deze aanschafwaarde is vrijwel altijd lager dan de nieuwwaarde volgens de catalogus. De nieuwwaarde en cataloguswaarde zijn dus doorgaans aan elkaar gelijk, behalve als de auto niet meer nieuw leverbaar is. Een aantal verzekeraars heeft het bedrag van de nieuwwaarde gemaximeerd tot 100% van de aanschafwaarde of 110% van het verzekerde bedrag.

Een nieuwwaarderegeling is doorgaans 12 maanden geldig, maar perioden van 24 en 36 maanden komen steeds vaker voor. Deze langere periode is soms standaard opgenomen, maar geldt vaak als optionele dekking. De nieuwwaarderegeling geldt bij meer dan de helft van de verzekeraars alleen voor de eerste eigenaar.

Zodra de nieuwwaardeperiode is afgelopen, wordt een afschrijvingsregeling gehanteerd. Ook deze verschilt per verzekeraar. Doorgaans krijgt u vanaf het vierde jaar alleen de dagwaarde vergoed. Om die te bepalen, wordt gebruikgemaakt van koerslijsten, meestal die van de ANWB (ga naar www.anwb.nl/koerslijst om de dagwaarde van uw auto te achterhalen).

Occasionwaarderegeling

Let voor de verzekering van een tweedehandsauto op de occasionwaarderegeling. Daarmee krijgt u, gedurende de overeengekomen periode (bijvoorbeeld 12 maanden), bij totaalverlies het bedrag terug dat u voor de tweedehandsauto heeft betaald. Bij een aantal verzekeraars hoeft u deze aanschafwaarde alleen aan te tonen met een originele nota of het bankafschrift waaruit de betaling aan de verkoper blijkt. Omdat een auto na aankoop in waarde daalt, kan uitkering van de occasionwaarde in plaats van de dagwaarde honderden euro's schelen.

Lang niet iedere autoverzekeraar biedt een occasionwaarderegeling aan. Bij verzekeraars die dit wel doen, is de regeling een standaard en kosteloos onderdeel van de allrisk- of beperkt-cascopolis.

Of de auto voor de occasionwaarderegeling in aanmerking komt, is onder meer afhankelijk van waar hij is gekocht. Bij veel verzekeringen geldt dat de auto bij een bij de Bovag aangesloten bedrijf of een officiële merk(sub)dealer gekocht moet zijn. Bij andere aanbieders moet de auto bij een autobedrijf met inschrijving bij de Kamer van Koophandel gekocht zijn. Een tweedehandsauto gekocht van een particulier valt dan buiten de occasionwaarderegeling.

Hoelang de nieuwwaarde?

Controleer hoelang u bij total loss de prijs van een geheel nieuwe auto vergoed krijgt. Meestal is dit 12 maanden, maar er zijn vrij veel verzekeraars die een termijn van 24 of 36 maanden hanteren. Na die periode is er vaak nog sprake van een afschrijvingsregeling. Er wordt dan voor iedere maand een vast percentage in mindering gebracht.

3.1e   Premie

Waar de premie van uw autoverzekering op is gebaseerd, lijkt totaal ondoorgrondelijk. Er zijn tal van factoren die bepalen hoeveel u betaalt. We noemen de belangrijkste.

Stad of platteland

Dat autoverzekeringen in de stad duurder zijn dan op het platteland, is bekend. Gemiddeld genomen betaalt iemand uit een van de vier grote steden 24% meer premie voor een allriskverzekering dan iemand uit de rest van Nederland.

Postcode

Een meerderheid van de verzekeraars verdeelt het land niet meer in regio's, maar kijkt bij premieberekening naar de vier cijfers van de postcode. Ze maken daarbij gebruik van schadestatistieken. In gebieden waar veel schade wordt geclaimd, valt de premie hoger uit. Ook buurten waar veel mensen een dure auto hebben, kunnen duur uitvallen, bijvoorbeeld omdat daar veel auto's worden gestolen.

Binnen een en dezelfde stad kan de premie alleen al door een verschillende postcode een paar honderd euro verschillen.

Waarde en type auto

De WA-premie is bij de meeste verzekeraars gebaseerd op het gewicht van de auto. Sommige gaan uit van de oorspronkelijke cataloguswaarde of de recentste nieuwwaarde. Een enkele maatschappij hanteert een speciaal merkentarief. Voor de volledige cascoverzekering gaan de meeste verzekeraars uit van de oorspronkelijke cataloguswaarde.

Bij de vaststelling van de premie kunnen ook de cilinderinhoud, het acceleratievermogen en de leeftijd van de auto een rol spelen. Auto's van voor 1993 worden soms al aangemerkt als een klassieker. Daarvoor gelden andere tarieven.

Schadeverleden: de bonus-malusladder

Tijdens de looptijd van de verzekering bouwt u – zolang u geen schade claimt – schadevrije jaren op. Bij de meeste autoverzekeringen wordt aan de hand daarvan een korting toegekend: de no-claimkorting. Voor het vaststellen van de korting wordt de bonus-malusladder gebruikt. Die is doorgaans terug te vinden in de voorwaarden.

Bij iedere trede wordt het bijbehorende kortingspercentage vermeld. Na ieder jaar dat er geen (schuld)schade wordt geclaimd, klimt u een trede op de ladder en neemt de no-claimkorting (de bonus) met een paar procent toe. Claimt u wel schade, dan daalt u meestal met zo'n zes treden tegelijk. De hoogte van het schadebedrag maakt niet uit.

De snelheid van stijgen en dalen op de bonus-malusladder of in het no-claimsysteem is van invloed op de gemiddelde premie die u over een groter aantal jaren betaalt. Door een langzame opbouw van de korting en een snelle terugval, kan een lage beginpremie op den duur toch onvoordeliger zijn dan een hogere beginpremie met een gunstiger opbouw en terugval.

Malus

Door geclaimde schade kunt u op een negatief kortingspercentage uitkomen. U moet dan een toeslag op de premie betalen, de malus.

Aantal kilometers

Over het algemeen kennen verzekeraars drie basistarieven: een voor autobezitters die minder dan 12.000 km rijden, een voor hen die tussen de 12.000 en 20.000 kilometer per jaar rijden en een voor hen die meer dan 20.000 kilometer per jaar rijden. De grenzen kunnen verschillen per verzekeraar.

De Kilometerverzekering

Bij De Kilometerverzekering wordt uw premie gebaseerd op een inschatting van het aantal kilometers dat u jaarlijks rijdt. Na een jaar wordt het werkelijk aantal gereden kilometers vastgesteld en volgt verrekening (teruggave of toeslag). Deze verzekering kan worden afgesloten vanaf 1000 kilometer per jaar en is vooral interessant voor mensen die weinig rijden. De minimum-leeftijd voor deze verzekering is 25 jaar.

Leeftijd (regelmatige) bestuurder
Nogal wat verzekeraars schalen jongeren altijd in voor het duurste on-beperkt rijdentarief. Ook als ze maar weinig kilometers per jaar rijden. Bovendien is de basistrede van jonge autobezitters vaak laag, waardoor ze op een lager kortingspercentage beginnen. Zo gauw jongeren een bepaalde leeftijdsgrens bereiken, vervalt de ongunstigere behandeling. Ook seniorklanten krijgen vaak te maken met een premietoeslag (zie het kader 'Leeftijdsdiscriminatie' in par. 3.1a). Let daarop en trek zo nodig de verzekeraar of tussenpersoon aan zijn jasje.

! Besparing of belemmering?

Om te voorkomen dat iemand die een aantal jaren de maximale korting heeft bij één schade meer premie zou moeten betalen, kent ongeveer een kwart van de verzekeraars een 'no-claimbeschermer'. Daarmee kunt u jaarlijks één schade claimen zonder dat dit gevolgen heeft voor de premie. U behoudt de no-claimkorting dus.
Tenminste, zolang u de eigen verzekeraar trouw blijft. Wie wil over-stappen, komt erachter dat de no-claimbeschermer na een schade-claim weliswaar de trede op de bonus-malusladder bevriest, maar niet beschermt tegen een afname van het aantal schadevrije jaren. De nieuwe verzekeraar baseert de premie op het aantal schadevrije jaren, niet op uw positie op de bonus-malusladder. De nieuwe premie is dus doorgaans flink hoger.

Een no-claimbeschermer maakt de drempel voor een overstap naar een voordeliger verzekeraar dus hoger. Bovendien wordt het nóg ingewikkelder om de eigen autoverzekering te vergelijken met die van andere verzekeraars. Na één schade kunt u al behoorlijk uit de pas lopen met iemand die dezelfde autoverzekering heeft zonder no-claimbeschermer.

Uit berekeningen van de Consumentenbond blijkt dat een no-claim-beschermer vooral voordelig is na een prijzige schade, in combinatie met een gemiddelde tot lage no-claimkorting.

3.1f   Schade claimen of niet?

Vanwege de bonus-malusladder en de schadevrije jaren is het niet altijd verstandig schade bij de verzekeraar te claimen. Vooral bij een kleine schade doet u er goed aan te bedenken of u dit niet beter uit eigen zak kunt betalen. Als u claimt, kunt u immers een deel van uw korting voor schadevrij rijden verliezen en bij cascodekking betaalt u altijd het eigen risico.

Het is goed van tevoren te weten welk bedrag u bij een schade uit eigen zak en dus buiten de verzekeraar om wilt betalen. U moet rekening houden met uw eigen risico en de bonuskorting. Bedenk verder dat verlies van korting het gevolg is van het uitkeren van een nog niet verhaalde en/of niet-verhaalbare schade en niet (alleen) afhankelijk is van schuld. Als de schade volledig op de tegenpartij kan worden verhaald, zal de korting dus onaangetast blijven of hersteld worden.

Claimt u op grond van een beperkte cascodekking (diefstal, ruitbreuk, aanrijding dier), dan heeft dat geen invloed op uw positie op de bonus-malusladder.

Na een schadeclaim daalt u direct een aantal treden op de bonus-ma-lusladder en stijgt doorgaans de premie. Het maakt daarbij geen verschil of u €500 of €5000 claimt, de premie stijgt even hard. Het kan daarom interessant zijn een zelf veroorzaakte schade voor eigen rekening te nemen. Het omslagpunt verschilt per verzekeraar en is voor iedereen anders.

Het is lastig vooraf uit te rekenen of het indienen van een claim gunstig is. Zie het kader 'Wel of niet claimen?'.

> ## Tip
>
> ### Altijd melden
>
> Als u een schade niet wilt claimen, moet u haar toch wel altijd melden voor het geval u later toch mocht besluiten te claimen.

> ## 🔍
>
> ### Wel of niet claimen?
>
> Stel: u staat op trede 8 met een no-claimkorting van 50%. De jaarpremie bedraagt €850. Op een dag rijdt u €750 schade. Als u deze schade claimt, valt u terug naar trede 4. Het duurt vier jaar om het oude kortingsniveau weer te bereiken. Na 10 jaar zonder schade bent u in totaal €4186 kwijt aan premie. Als u deze schade voor eigen rekening neemt, loopt de kortingopbouw door en betaalt u over dezelfde periode €2656.
>
> Het premievoordeel bij niet-claimen is (€4186 - €2656 =) €1530. Maar u draait wel zelf op voor de schade van €750. Het uiteindelijke voordeel van niet-claimen komt uit op (€1530 - €750 =) €780.

> ## Tip
>
> ### Met terugwerkende kracht zelf betalen
>
> De meeste autoverzekeraars bieden de mogelijkheid schade eerst te claimen om haar daarna alsnog zelf te betalen. Bijvoorbeeld als de nieuwe premie tegenvalt. De te veel betaalde premie tot dat moment ontvangt u terug en de verzekeraar herstelt ook het aantal schadevrije jaren. De terugbetalingstermijnen variëren. Gangbaar is een bedenktermijn van 12 maanden na het uitbetalen van de schade of tot 3 maanden na afloop van het verzekeringsjaar.
>
> Een uitgewerkt voorbeeld vindt u in de *Consumentengids* van mei 2013.

3.1g   Total loss

Het kan natuurlijk ook zodanig misgaan dat het uitdraait op total loss of totaalverlies. Daarvan spreekt men in de verzekeringswereld als een reparatie technisch of economisch niet meer verantwoord is.

Total loss op economische gronden betekent dat de geschatte reparatiekosten hoger zijn dan het verschil tussen de dagwaarde van het voertuig (onmiddellijk vóór het ongeval) en de waarde van het wrak. In cascopolissen wordt voor totaalverlies vaak een regeling opgenomen die gebaseerd is op de nieuwwaarde minus een bepaalde afschrijving (zie par. 3.1d).

Technisch total loss wil zeggen dat de auto technisch gezien niet meer verantwoord kan worden gerepareerd of dat de auto er niet meer is (bijvoorbeeld door diefstal).

Tip

Budgetvariant

Bovag, Inshared, London, Ohra en Univé (stand medio 2014) hebben naast hun gewone autopolis een budgetvariant, bijvoorbeeld een met allriskdekking. Inshared heeft als enige autoverzekeraar een verzekering die het midden houdt tussen een beperkt-cascoverzekering en een allriskverzekering: de Beperkt Casco Extra. Schaden die vallen onder de WA- en de beperkt-cascoverzekering worden volledig vergoed. Bij overige schaden, zoals aanrijding, slippen of van de weg raken, betaalt de verzekeraar de helft van de rekening.

De verschillen tussen een budget- en standaardpolis zijn:

- de premie is lager;
- de no-claimbeschermer ontbreekt, behalve bij London Economy;
- hoger eigen risico bij schade;
- minder of geen vervangend vervoer;
- meestal geen nieuwwaarderegeling;
- beperkende maatregelen voor jongeren.

Een gemiddelde budgetpolis is per jaar een paar tientjes goedkoper dan de standaardpolis, zo blijkt uit ruim 14.000 premieberekeningen van Moneyview.

Als uw auto niet casco verzekerd is, kunt u bij totaalverlies, uitgaande van andermans schuld aan het ontstaan van die schade, bij de tegenpartij of haar verzekeraar vergoeding claimen van het verschil tussen de dagwaarde van het voertuig en de waarde van het wrak. Met die vergoeding plus de opbrengst van het wrak moet u dan een vervangend, gelijkwaardig voertuig kunnen aanschaffen. Die auto moet dan ongeveer even oud zijn, ongeveer evenveel kilometers hebben gereden en even goed onderhouden zijn.

Bent u het niet eens met de vaststelling van de dagwaarde, dan moet u zelf een contra-expertise laten uitvoeren (bijvoorbeeld door de ANWB). Informeer bij meer dan één handelaar naar de prijs van een gelijkwaardige, vervangende auto en geef die bedragen aan de expert door. Schrijf een brief naar de schade-expert (of de verzekeraar), waarin u verklaart waarom u het niet eens bent met de vastgestelde dagwaarde of wrakwaarde. Vraag om een reële vervangingswaarde.

3.1h   Schade verhalen

Heeft u een cascoverzekering en schade door eigen schuld die u wilt claimen, dan moet u zich tot uw eigen verzekeraar wenden. Dit is trouwens ook het beste als de schuld volgens u bij een ander ligt. Uw verzekeraar verzorgt dan de claim bij de tegenpartij. Heeft u geen cascoverzekering en meent u dat de ander schuld heeft, dan moet u rechtstreeks (de maatschappij van) de tegenpartij aanspreken en uw eigen maatschappij inlichten. Als u een cascoverzekering heeft, moet u trouwens ook bij de verzekeraar van de tegenpartij zijn als u een vergoeding wilt voor:

- uw eigen risico;
- schade aan kleding;
- extra kosten voor autohuur tijdens de reparatie van uw auto;
- de waardevermindering na een grote reparatie;
- dokters-, ziekenhuis- en andere kosten van uzelf en van degenen die bij u in de auto zaten, voor zover de zorgverzekering die niet vergoedt;
- vermindering van inkomsten als gevolg van opgelopen letsel (bijvoorbeeld whiplash);
- smartengeld (bij letsel).

In geval van overlijden kunnen de nabestaanden die voor hun levensonderhoud van het slachtoffer afhankelijk waren, een uitkering vragen. Gaat het om grote belangen, dan is het verstandig tijdig een deskundige van de ANWB, de vakbond of een advocaat in te schakelen. Heeft u een (verkeers)rechtsbijstandsverzekering, dan kunt u daarop terugvallen. Zowel bij uw eigen verzekeraar als bij die van de tegenpartij moet u de aanrijding en schade zo volledig mogelijk beschrijven en aangeven waar de auto en beschadigde goederen te bezichtigen zijn. Ook is het verstandig aan beide maatschappijen de namen en adressen van getuigen (bij voorkeur meer dan één en liefst geen familie) op te geven.

U bespoedigt de afhandeling van de schade als u samen met de andere betrokkenen bij een aanrijding een Europees schadeformulier invult en ondertekent. Dit formulier kunt u bij uw verzekeraar of tussenpersoon aanvragen. Het is verstandig altijd zo'n formulier in de auto te hebben liggen. Hierop geeft u aan de hand van een vragenlijst een feitelijke beschrijving van de toedracht van het ongeval. Maak zo mogelijk foto's van de situatie bij de aanrijding en maak een schets van de situatie op papier.

Tip

Roep de politie erbij

Roep bij een aanrijding zo nodig de politie erbij. Helemaal als het om een forse schade gaat, als de schuldvraag onduidelijk is of als de schuldige doorgereden is. Bij lichte blikschade komt de politie overigens niet meer opdagen.

3.1i   Bijzondere gevallen

Soms kunt u met een schade voor verrassingen komen te staan.

De schuldige is onbekend of onverzekerd

In sommige gevallen kunt u de schade niet verhalen op de schuldige, bijvoorbeeld als deze doorrijdt, in een gestolen auto rijdt, niet verzekerd is of niet te achterhalen is (bijvoorbeeld bij schade opgelopen op een parkeerplaats). U kunt zich dan wenden tot het Waarborgfonds Motorverkeer. Om in aanmerking te kunnen komen voor een vergoeding moet u aan een aantal voorwaarden voldoen. Zo moet u kunnen bewijzen dat de schade door een auto, motorfiets, scooter, bromfiets of e-bike is veroorzaakt, dat de bestuurder/berijder schuld heeft en dat u alle moeite heeft gedaan hem te achterhalen en/of vergoeding te krijgen. Schakel altijd de politie in (nog voordat u met de auto wegrijdt).

Het heeft geen nut om te proberen een kleine schade te verhalen. Er geldt namelijk een eigen risico van €250. Bent u allrisk verzekerd, dan moet u zich altijd eerst wenden tot uw eigen verzekeraar. Als een beroep op het Waarborgfonds mogelijk is, zal uw verzekeraar na regeling van uw schade een claim bij het Waarborgfonds indienen.

We adviseren u de check op www.schadezonderdader.nl te doen voordat u stappen onderneemt. U weet dan meteen of het zin heeft uw claim bij het Waarborgfonds in te dienen.

Zwakke verkeersdeelnemer

Artikel 185 van de Wegenverkeerswet biedt extra bescherming aan zwakke verkeersdeelnemers (fietsers, voetgangers) die in botsing komen met gemotoriseerd verkeer. Volgens dit artikel wordt bij dergelijke botsingen uitgegaan van aansprakelijkheid van de bestuurder van de auto, tenzij hij overmacht of schuld van de fietser of voetganger kan aantonen. Van overmacht is sprake als de fout van de voetganger of fietser dermate onwaarschijnlijk was dat de bestuurder hiermee geen rekening had kunnen houden. Een beroep op overmacht slaagt overigens slechts zelden.

Als de bestuurder overmacht niet aannemelijk kan maken, is de bestuurder altijd aansprakelijk. Sterke verkeersdeelnemers moeten 100% van de letselschade betalen, ongeacht de schuld, tenzij er bij de voetganger of fietser sprake is van opzet of 'aan opzet grenzende roekeloosheid'.

Een aantal verzekeraars heeft inmiddels de no-claimkorting omgebouwd tot een soort 'no-blamekorting'. Hierbij verliest de automobilist zijn korting niet als hij volgens de wet weliswaar aansprakelijk is, maar hij in feite geen schuld had.

De bescherming geldt niet voor loslopende dieren. Hier geldt juist het tegenovergestelde: de eigenaar van een motorrijtuig kan bij schade de eigenaar van het dier aanspreken.

Kinderen tot 14 jaar

Ook bij een aanrijding tussen gemotoriseerd verkeer en kinderen jonger dan 14 jaar wordt uitgegaan van aansprakelijkheid van de bestuurder. Hiervan kan alleen worden afgeweken als het gedrag van het kind aangemerkt wordt als opzet of 'aan opzet grenzende roekeloosheid'. In de praktijk betekent dit dat de automobilist zijn schade vrijwel nooit zal kunnen verhalen, terwijl de schade van het kind vrijwel altijd vergoed zal moeten worden door de WA-verzekeraar van de betrokken automobilist.

Onder invloed

Bij veel verzekeraars wordt de schade aan uw eigen auto niet gedekt als bij een blaastest of bloedproef blijkt dat u te veel heeft gedronken. De tegenpartij wordt wel door uw verzekeringsmaatschappij schadeloosgesteld, maar uw maatschappij kan alles van u terugvorderen.

Dat geldt meestal ook als u, of degene die u heeft laten rijden, niet tot rijden bevoegd was. Daarvan is sprake als u, of degene die u heeft laten rijden, geen rijbewijs of een tijdelijk rijverbod had.

Geen autogordel om
Heeft u een ongeluk gehad terwijl u geen autogordel droeg, dan krijgt u de schade aan uw auto vergoed. Maar raakte u daarbij gewond en wilt u de dokters- en ziekenhuiskosten (voor zover niet gedekt door de zorgverzekering) verhalen op de tegenpartij, dan kan de WA-verzekeraar van de tegenpartij zich beroepen op 'eigen schuld' en de schade slechts gedeeltelijk vergoeden.

Caravans en aanhangers

Gaat u met een caravan, een bagagewagentje, een boot of een andere aanhanger achter uw auto op stap, dan is deze automatisch in de WA-verzekering van de auto begrepen. Sommige verzekeraars stellen wel als voorwaarde dat de aanhanger maximaal twee wielen heeft en/of uitsluitend voor particulier gebruik dient. De schade die de aanhanger veroorzaakt terwijl hij aan de auto gekoppeld is of ontkoppeld is maar nog niet buiten het verkeer tot stilstand is gekomen, is dan gedekt.

Ook de caravan zelf kunt u casco verzekeren, maar net als bij de auto bent u daartoe niet verplicht (zie ook par. 3.3).

Uitsluitingen
Als er sprake is van schade door opzet, verhuur, lessituaties of een wedstrijd, wordt de schade aan uw auto niet door de verzekering vergoed. Een eventuele uitkering aan een slachtoffer kan door de verzekeraar op u worden verhaald.

Tip

Klagen helpt

Wil de verzekeraar niet (alles) uitkeren en bent u het hier niet mee eens? Ga dan altijd klagen. Uit een inventarisatie van meldingen van leden van de Consumentenbond blijkt namelijk dat dit zin kan hebben. Sommigen hebben hierdoor hun schade uiteindelijk toch vergoed gekregen.

Inbraakschade niet vergoed?

Jos Philipsen uit Vught had een akkefietje met zijn autoverzekeraar. Op een dag wordt er in zijn auto ingebroken. Ruit kapot, overal glas en de houder van het navigatieapparaat, die Philipsen op de voorruit had laten zitten, is verdwenen. Dat hij de houder niet had weggehaald, was voor zijn verzekeraar voldoende reden ('onvoorzichtig') om de inbraakschade aan de auto niet te vergoeden.

Philipsen is het hier niet mee eens en reageert per brief dat de verzekeraar de regel duidelijker had moeten opnemen in de voorwaarden. Hij vindt dat hij genoeg voorzorgsmaatregelen had getroffen: hij heeft het schermpje van het navigatiesysteem meegenomen toen hij de auto verliet.

Philipsen vraagt om coulance van de verzekeraar (de verzekeraar houdt dan vast aan het principe, maar is bereid toch uit te keren). Dat heeft succes. De verzekeraar belt met Philipsen en laat weten de inbraakschade aan de auto coulancehalve te vergoeden.

Goed nieuws voor Philipsen, die achteraf erg blij is dat hij het er niet bij heeft laten zitten.

3.1j   Inzittenden verzekerd

Als iemand met u meerijdt en schade ondervindt, kan hij die meestal verhalen op de WA-verzekering. Is de schade door uw schuld ontstaan, dan moet hij zich tot uw WA-verzekeraar wenden. Lijkt het de schuld van bijvoorbeeld een andere automobilist, dan moet hij zich tot diens WA-verzekeraar wenden. Is er geen schuldige tegenpartij (weersomstandigheden), dan zal de schade niet worden vergoed.

Als het uw schuld is, wordt de schade aan uzelf niet vergoed. Meestal zullen de medische kosten wel door de zorgverzekering worden vergoed, maar voor andere schade, zoals aan kleding of bagage, kunnen u en de uwen nergens terecht. Schade aan de kleding en handbagage van de passagier vallen doorgaans wel onder de dekking.

Wilt u dat u of uw medepassagiers schadeloos worden gesteld, ongeacht of er iemand aansprakelijk is, dan kunt u een ongevallen-inzittendenverzekering nemen. Maar deze verzekering keert alleen een vast bedrag uit bij dood of invaliditeit.

Een beter alternatief is het afsluiten van een schadeverzekering inzittenden. Deze verzekering keert de werkelijk geleden schade van de

118

inzittenden uit, ook als er geen sprake is van dood of invaliditeit. De verzekeraar betaalt uit, ongeacht of er iemand aansprakelijk is. De inzittendenverzekering keert niet uit als u (min of meer beroepsmatig) de medepassagiers tegen betaling heeft meegenomen. Deze uitsluiting geldt niet voor carpoolers.

3.1k Rechtsbijstand voor verkeer

U kunt doorgaans kiezen uit drie verkeersgerelateerde vormen van rechtsbijstand: verhaalsbijstand, autorechtsbijstand en verkeersrechtsbijstand. Let op, want deze termen worden soms door elkaar gebruikt.

Met verhaalsbijstand wordt het verhalen van schade aan de auto na een ongeval bedoeld, waarbij de schuld bij de tegenpartij ligt. Wie allrisk is verzekerd, heeft hier geen omkijken naar, maar WA- en WA+-verzekerden kunnen zich hiervoor bijverzekeren. Zeker bij een schade in het buitenland kan deze vorm nuttig zijn.

Raakt u gewond door een verkeerde manoeuvre van een ander, dan is er wellicht recht op smartengeld en inkomstenderving als u niet in staat bent om te werken. Wie ook verzekerd wil zijn van juridische hulp bij dit soort zaken, doet dat via de autorechtsbijstand. Deze verzekeringsdekking is voertuiggebonden. Het maakt dus niet uit wie de bestuurder is. Er wordt ook hulp geboden bij andere problemen, zoals onenigheid met de garage over een reparatie.

Verkeersrechtsbijstand tot slot is niet voertuiggebonden. Alle rechtsproblemen die in of door het verkeer ontstaan, zijn hierbij gedekt, zowel voor medepassagiers als voor fietsers of voetgangers.

3.1l Overstappen

1. Zoek de meldcode op
Bij het afsluiten van een nieuwe verzekering moet u de meldcode van de auto doorgeven aan de verzekeraar. U vindt deze meldcode op het kentekenbewijs van uw auto. Hij bestaat uit de laatste vier cijfers van het chassisnummer: het nummer van het onderstel van de auto. De meldcode vormt samen met het kenteken een unieke combinatie. De Rijksdienst voor het Wegverkeer kan hierdoor controleren of de auto verzekerd is. U heeft de meldcode pas nodig als u daadwerkelijk een verzekering gaat afsluiten.

2. Vraag uw schadevrije jaren op

Om de premies te vergelijken (zie stap 4) moet u weten hoeveel schade-vrije jaren u heeft. Als u nog nooit schade heeft geclaimd, is dat simpel. Het aantal schadevrije jaren is dan gelijk aan het aantal jaren dat u verze-kerd bent geweest. Als u wel ooit een beroep op uw autoverzekering heeft gedaan, kunt u uw schadevrije jaren het best opvragen bij de verzekeraar. Bent u na een schadeclaim ooit overgestapt, dan kunt u nauwelijks con-troleren of het aantal schadevrije jaren klopt. Dat komt omdat alle ver-zekeraars hun eigen bonus-malusladders hebben. Ze verschillen niet alleen in het aantal treden, maar ook in het aantal stappen dat u terugvalt na een schadeclaim. Hier gaat overigens verandering in komen, zie het kader 'Uniforme regeling schadevrije jaren'.

U heeft geen formulier nodig van de verzekeraar waar uw schadevrije jaren op staan. Uw oude verzekeraar geeft dit bij uw opzegging auto-matisch door aan Roy-data (de royementsverklaringendatabase van de Stichting Efficiënte Processen Schadeverzekeraars. De nieuwe verze-keraar haalt de informatie over de schadevrije jaren uit deze database. Via een formulier kunt u gratis opvragen hoe u in deze database staat.

Alleen na opzegging

Schadevrije jaren worden in Roy-data gezet nadat uw verzekering is opgezegd (royement). Wilt u uw schadevrije jaren weten terwijl uw verzekering nog loopt, dan moet u contact opnemen met de huidige verzekeraar.

Uniforme regeling schadevrije jaren

Vanaf 2016 gaan autoverzekeraars de schadevrije jaren op uniforme wijze vaststellen. Verzekeraars moeten bij verzekeringen die na 1 januari 2016 zijn afgesloten een gelijk aantal schadevrije jaren hanteren dat je verliest na een of meer claims, volgens een vaste tabel. Autoverzekeraars mogen wel een eigen bonus-malustabel blijven gebruiken met commerciële schade-vrije jaren. Maar bij het jaarlijks doorgeven van de zuivere schadevrije jaren moeten verzekeraars wel de vaste tabel gebruiken. De Consumentenbond vindt dat de regeling voor schadevrije jaren onnodig ingewikkeld is én blijft. Meer informatie hierover vindt u op de site van de Consumentenbond (zoek op 'nieuwe regels schadevrije jaren').

3. Kies een dekking

Iedereen in Nederland is verplicht tot een WA-autoverzekering voor zijn auto. Daarmee is schade aan derden gedekt. Wilt u ook verzekerd zijn voor schade aan uw eigen auto, dan kunt u kiezen voor een beperkt-casco- of een allriskautoverzekering.

Bedenk goed welke dekking voor u het geschiktst is. Onderverzekering kan u duur komen te staan.

4. Vergelijk de premies

Wilt u uw autoverzekering vergelijken met die van andere aanbieders? Onze Autoverzekeringvergelijker is in 2014 volledig vernieuwd. Bijzonder is dat u eerst de gewenste aanvullende dekkingen kiest en pas daarna gaat vergelijken. Andere vergelijkingssites vergelijken alleen de 'kale' premies. Behalve op premie kunt u vergelijken op kwaliteit (klanttevredenheid en polisvoorwaarden) en prijs-kwaliteitverhouding.

De premieverschillen zijn al jaren enorm groot. Voor iemand met tien schadevrije jaren kost de duurste WA-autoverzekering nog altijd 2,6 keer zo veel als de goedkoopste. Het loont dus altijd de moeite om de premie van uw eigen autoverzekering te vergelijken met die van andere aanbieders.

5. Bestudeer de voorwaarden

Kijk niet alleen naar de prijs, maar ook naar de voorwaarden van de autoverzekeringen. Let vooral op de kleine lettertjes als u een allriskautoverzekering afsluit voor een nieuwe auto. Bekijk in de voorwaarden met name de nieuwwaarderegeling. Sommige verzekeraars keren slechts één jaar de nieuwwaarde uit, andere wel drie jaar. Ook het bedrag dat verzekeraars daarna uitkeren kan enorm verschillen.

6. Zeg de huidige polis op

Stap niet vóór het einde van het verzekeringsjaar over. Schadevrije jaren worden opgebouwd per verzekeringsjaar. Bij vroegtijdig overstappen raakt u dat jaar kwijt.

Een autoverzekering opzeggen gaat veel makkelijker dan een paar jaar geleden. Standaard is de looptijd een jaar en daarna geldt een maand opzegtermijn. Toch is de ene verzekeraar flexibeler dan de andere. Bij enkele verzekeraars kunt u de autoverzekering, nadat ze een jaar heeft gelopen, iedere dag beëindigen. Andere verzekeraars gebruiken afwijkende looptijden.

Een nieuwe autoverzekering kunt u na een maand of meteen weer opzeggen.

Overstappers opgelet

Let op de lengte van de bonus-malusladder van de nieuwe verzekeraar. Een korte ladder kan ongunstig zijn bij veel schadevrije jaren. Een lange ladder is vaak ongunstig als u weinig schadevrije jaren heeft opgebouwd.

3.1m Uw keus

Een WA-verzekering is wettelijk verplicht, maar of u ook een cascoverzekering moet afsluiten, hangt af van uw persoonlijke situatie. Kunt u bijvoorbeeld het geld voor een dure reparatie of nieuwe auto zelf opbrengen? Bent u op de auto aangewezen of kunt u wel even zonder?

Ook de leeftijd van de auto speelt een rol. Een allriskverzekering is bij een nieuwe auto in ieder geval de eerste vier jaar zinvol. Afhankelijk van het type auto (sommige auto's houden relatief hun waarde) en uw noclaimkorting (hoe meer korting, hoe langer allrisk verzekeren) kan het verstandig zijn om de auto ook nog in jaar vijf en zes allrisk te verzekeren. Pas vanaf acht tot tien jaar kunt u volstaan met alleen de WA-verzekering. Voor de tussenliggende jaren kiest u voor WA beperkt casco.

Zoals gezegd, is ook de absolute of nominale hoogte van de premie van belang. Iemand met een hoge bonuskorting zal langer voor weinig geld volledige cascodekking kunnen aanhouden.

Tip Zelf berekenen

U kunt zelf de afweging maken tussen besparen op de autoverzekering door de dekking te verlagen en risico's af te dekken. Zoek eerst de dagwaarde van de auto op, bijvoorbeeld via de Koerslijst van de ANWB. Vraag daarna het werkelijk aantal schadevrije jaren op bij de verzekeraar. Dit kan namelijk (sterk) afwijken van het aantal schadevrije jaren dat u denkt te hebben.

Vul het aantal schadevrije jaren samen met het kenteken en enkele andere gegevens in bij de Autoverzekeringvergelijker van de Consumentenbond. Daarna ziet u voor elk soort dekking (allrisk, beperkt casco en alleen WA) de maandpremie per verzekeraar.

Het kost wat moeite, maar wie ook nog rekening houdt met de daling van de maandpremie na een jaar zonder schade, kan uiteindelijk zelf bepalen waar zijn persoonlijke omslagpunt ligt en wanneer de tijd rijp is om de dekking te verlagen.

Motor

De motorverzekering lijkt in veel opzichten op de autoverzekering. Zie dus de desbetreffende paragrafen bij de autoverzekering. Allriskverzekeringen voor motoren zijn gemiddeld iets duurder dan die voor een auto. Kies niet de eerste de beste: de duurste verzekeraar vraagt in dezelfde situatie maar liefst drie keer zo veel premie als de voordeligste aanbieder.

Een aantal aspecten is specifiek voor de motor van belang:

- schade als gevolg van racepartijen op of buiten een circuit wordt nooit vergoed;
- schade aan met de motor vervoerde goederen valt altijd buiten de dekking;
- schade aan kleding en handbagage van passagiers is vaak wel gedekt.

Bij sommige maatschappijen kunt u kiezen voor een winterstop, maar dit levert nauwelijks premiebesparing op. Leden van de Consumentenbond kunnen op onze site de premie berekenen voor hun specifieke situatie.

Met alleen een WA-verzekering bent u niet verzekerd tegen diefstal. Motorverzekeraars stellen pas eisen aan een slot bij een beperkt-casco- of volledig-cascoverzekering. De eisen voor de beveiliging zijn streng. Gebruik het motorslot dat de verzekeraar eist in zijn polisvoorwaarden, anders wordt er bij diefstal geen cent uitgekeerd. Dus geen ART-schijfremslot als een ART-kettingslot of ART-beugelslot wordt geëist.

Veel verzekeraars willen daarnaast dat u de motorfiets ook aard- of nagelvast stalt. Als u de motor op straat parkeert, moet u hem met een kettingslot vastzetten aan een lantaarnpaal of dikke boom of eventueel vastketenen aan een andere motorfiets. Veel verzekeringsmaatschappijen keren bij diefstal niet uit als u de motor alleen op slot zet. Motoren worden namelijk snel gestolen als je even de supermarkt inloopt voor een boodschap.

Bromfiets

Een bromfiets is een motorrijtuig met een verbrandingsmotor met een cilinderinhoud van maximaal 49 cc of een elektromotor. Snorfietsen, fietsen met een hulpmotor en invalidenwagens worden ook tot deze categorie gerekend. Voor een bromfiets bent u verplicht een aansprakelijkheidsverzekering af te sluiten (WA-dekking). Deze dekt alleen de schade die u als berijder van een bromfiets toebrengt aan anderen. Wilt u ook het diefstalrisico of de schade aan uw bromfiets verzekeren, dan moet u daarvoor een aanvullende diefstal- en/of cascoverzekering afsluiten.

U kunt een aparte diefstalverzekering afsluiten, maar diefstaldekking zit altijd in de cascoverzekering. De diefstalverzekering is niet mogelijk zonder de verplichte WA-dekking. Wilt u het diefstalrisico verzekeren, dan moet uw brom- of snorfiets altijd op slot worden gezet met een categorie 3 ART-goedgekeurd veiligheidsslot. Bij diefstal moeten alle originele sleutels worden opgestuurd naar de verzekeraar.

Is uw bromfiets voorzien van Datatag of een SCM-goedgekeurd *track & trace*-systeem, dan kunt u mogelijk korting krijgen op de premie of het eigen risico. Dit verschilt per aanbieder.

Datatag levert computerchips (*datatags*) die op verschillende plaatsen vrijwel onzichtbaar en onverwijderbaar op en in de brommer of scooter worden aangebracht. Een gestolen bromfiets is daardoor gemakkelijker terug te vinden en veel minder aantrekkelijk voor dieven.

Bromfietsverzekeringen zijn niet erg populair bij de verzekeraars. Er zijn in Nederland maar een paar verzekeraars actief op dit terrein. Ondanks het kleine aanbod zijn de premieverschillen fors. Bovendien betalen jeugdige bromfietsrijders aanzienlijk meer dan mensen van middelbare leeftijd.

Voor de hoogte van de premie maakt het niet veel uit welk type bromfiets u berijdt. Belangrijker is het onderscheid tussen bromfietsen waarvoor een helm verplicht is (automaten, bromfietsen met versnelling) en bromfietsen waarvoor dat niet nodig is (fietsen met hulpmotor, snorbromfietsen), zie het kader 'Soort bromfiets en premie'. Deze laatste mogen niet sneller kunnen rijden dan 25 kilometer per uur.

De dekking geldt niet voor schade die is veroorzaakt tijdens het oefenen voor of het deelnemen aan wedstrijden. Zakelijk gebruik, bijvoorbeeld als pizzakoerier, is evenmin gedekt. Ten slotte is van belang dat vrijwel bij alle verzekeraars een uitsluiting geldt voor schade die is veroorzaakt met een opgevoerde bromfiets.

Soort bromfiets en premie

Het soort bromfiets maakt uit voor de premie die u betaalt. Neem bijvoorbeeld de standaardbromfiets en de standaardsnorfiets van Tomos.
Die kosten allebei €999. Unigarant vraagt voor een cascoverzekering
met drie jaar nieuwwaarde en 0 schadevrije jaren respectievelijk €183
en €112. De verzekering voor de bromfiets is 63% duurder dan die van
de snorfiets. Dit kan een extra reden zijn om te kiezen voor een brommer die niet harder kan dan 25 kilometer per uur.
Nemen we een zwaardere bromfiets, een Kreidler van €2299, dan
betaalt u bij Unigarant maar liefst €591 aan premie. Dit is 25,7% van de
waarde van de bromfiets. Relatief gezien is deze premie 2,3 keer zo
hoog als die van de snorfiets. De genoemde premie geldt overigens
alleen in dit voorbeeld. Bij een andere leeftijd of postcode is de premie
weer anders.
Verzekeraars delen bromfietsen niet op dezelfde manier in. Vergelijk dus
goed voordat u een keus maakt. Het kan flink wat schelen in de premie.

3.2 Fiets

Bij een fietsverzekering gaat het in hoofdzaak om het verzekeren van de
fiets zelf (casco). Voor eventuele schade die u met de fiets aan anderen
toebrengt, moet u een beroep doen op de AVP (zie par. 2.5).

Minder diefstallen

Geloof het of niet, het aantal fietsdiefstallen is de laatste jaren flink gedaald.
In 1996 werd er bij de politie ongeveer 670.000 keer een fietsdiefstal aangegeven. Dat liep op tot 965.000 in 2004. Momenteel ligt de schatting tussen
de 500.000 en 750.000 fietsen.
Het precieze aantal is niet bekend, omdat lang niet alle fietsen zijn geregistreerd en niet iedereen aangifte doet. Volgens de officiële cijfers van het CBS
registreerde de politie in 2013 107.055 fietsdiefstallen. In steden als Amsterdam rijdt waarschijnlijk 10 tot 20% van de inwoners op een gestolen fiets.

3.2a Dekking

Bij verzekering van de cascoschade gaat het vooral om diefstal, maar
ook om de gevolgen van brand, botsen, slippen, van de weg raken en-

zovoort. Ook beschadiging tijdens vervoer valt eronder, tenzij de polis dit uitdrukkelijk uitsluit.

Bij schade vergoedt de verzekeraar de reparatiekosten, voor zover ze niet hoger zijn dan het verschil tussen de waarde voor en na de schade. Zijn de kosten hoger of is de fiets gestolen, dan krijgt u een nieuwe fiets (betaling in natura) of een uitkering in geld.

De meeste verzekeraars vergoeden in de eerste drie of vijf jaar een nieuwe fiets (al dan niet in natura). Hoelang de fiets als 'nieuw' wordt beschouwd, verschilt per maatschappij. De laatste jaren van de verzekering kan er sprake zijn van een afschrijving.

Sommige verzekeraars hanteren bij schade een eigen risico. Dat kan een vast bedrag zijn of een percentage van de claim. Hierbij maakt men onderscheid tussen diefstal en overige schade.

In natura of geld

Verzekeraars kunnen na diefstal een uitkering in geld of in natura geven. Keert een verzekeraar uit *in geld*, dan kunt u zelf bepalen hoe u dat bedrag besteedt. Uit recent onderzoek van de Consumentenbond bleek dat dit wordt aangeboden door Rijwielverzekeren.nl, Unigarant (indien online of via een tussenpersoon afgesloten), ANWB, Univé, Hema en Klaverblad. Als een verzekeraar *in natura* uitbetaalt, levert hij een nieuwe fiets van hetzelfde merk en type. Dit wordt aangeboden door Enra, Unigarant (indien afgesloten in de fietswinkel) en Helepolis.

Tussentijdse prijsstijgingen zijn alleen meeverzekerd bij ANWB (indien afgesloten via de dealer), Enra, Rijwielverzekeren.nl en Univé. Deze prijsstijgingen zijn wel gemaximeerd.

Weinig concurrentie

Het leeuwendeel van de fietsverzekeringen wordt afgesloten bij de koop van de fiets, dus bij de dealer. Die ontvangt daarvoor provisie. De meeste dealers hebben een contract met één verzekeraar – veelal ANWB-dochter Unigarant of Enra – en zijn minder geïnteresseerd in de premie van de polissen dan in de kwaliteit en het gemak. Er is dus nauwelijks concurrentie op prijs, ook al omdat veel consumenten voor deze relatief kleine polissen niet de moeite nemen te zoeken naar de beste aanbieding. Terwijl dat – zeker bij de steeds populairder wordende e-bikes – wel degelijk de moeite kan lonen.

De e-bike

Vooral door de hoge aanschafprijs wordt een e-bike vaker verzekerd dan een gewone fiets. Bovendien liggen de premies relatief laag (doordat e-bikes vooral door ouderen worden gebruikt voor toertochtjes, is het risico op diefstal klein) en verschillen ze niet veel tussen de regio's. De meeste aanbieders hanteren één standaardpremie voor e-bikes tot een bepaalde aanschafwaarde. Het maakt bij hen dus geen verschil of u een e-bike verzekert in een grote stad als Amsterdam of in een dorpje op het platteland. ANWB/Unigarant maakt wel onderscheid naar regio, maar de premieverschillen zijn relatief klein. Alleen bij de Hema moet u als inwoner van een grote stad niet zijn.

Let op dat u ook de schadegevoelige en prijzige accu meeverzekert. Hiervoor gelden wel vaak minder goede voorwaarden dan voor de rest van de e-bike. De verzekeraar past een afschrijving toe of hanteert bij schade een eigen risico.

Goed om te weten bij een fietsverzekering

- Het verzekeren van een stadsfiets in grote steden kost in drie jaar al snel een kwart van de aanschafprijs.
- De hoogte van de premie is afhankelijk van de gekozen dekking, de postcode en de nieuwwaarde van de fiets.
- Bij diefstal vragen verzekeraars altijd om twee originele fietssleutels van een ART-goedgekeurd slot, waarvan er één gebruikssporen dient te vertonen.
- Sommige verzekeraars maken een uitzondering als de fiets uit schuur of berging is gestolen, andere kennen een coulanceregeling.
- Veel inboedelverzekeringen dekken een uit de berging gestolen fiets ook, maar vaak wordt dan slechts de dagwaarde vergoed.
- Er zijn aflopende fietsverzekeringen (waarbij u de premie voor de hele looptijd vooruitbetaalt) én doorlopende fietsverzekeringen op de markt. Bij de laatste wordt de premie per maand of (half) jaar geïnd. Na drie tot vijf jaar bent u duurder uit dan met een aflopende verzekering.
- Het risico dat een fiets wordt gestolen is het grootst in het eerste jaar na aanschaf. In dat geval is een doorlopende verzekering gunstiger, want dan heeft u minder premie betaald.

3.2b   Uw keus

Of een fietsverzekering zinvol is, is afhankelijk van een aantal factoren:

- de leeftijd van de fiets;
- de aankoopprijs;
- de mate van afhankelijkheid van de fiets (zou u zonder kunnen?);
- kans op diefstal;
- de vraag of u gemakkelijk een nieuwe fiets zou kunnen betalen.

Is de fiets nieuw, neem dan een verzekering die u bij grote schade of diefstal van een nieuwe fiets voorziet.

Tip

Gebruik de vergelijker van de Consumentenbond

Op de site van de Consumentenbond kunt u via de Fietsverzekeringvergelijker makkelijk de voor u voordeligste en beste fietsverzekering vinden.

3.3   Caravan

Een caravan kost al gauw €20.000. Vouwwagens kosten minder, maar de grotere toercaravan en zeker de stacaravan kosten vaak een veelvoud hiervan. Dit kostbare bezit laat u natuurlijk niet onverzekerd. De dekking kunt u laten afhangen van het risico op schade dat u denkt te lopen en de waarde van de caravan.

De complete caravanverzekering bestaat uit vier onderdelen:

- een dekking tegen het risico van wettelijke aansprakelijkheid;
- een cascodekking voor schade aan uw eigen caravan, ongeacht de schuldvraag;
- een cascodekking voor schade aan de voortent/aanbouw, ongeacht de schuldvraag;
- een (soort) inboedelverzekering.

3.3a   WA en casco

Bijna alle caravanverzekeraars kennen een WA-dekking. Deze dekking is voor de caravan niet zo belangrijk. Uw AVP dekt namelijk ook een losgekoppelde en buiten het verkeer stilstaande caravan. En het WA-risico voor de aangekoppelde caravan valt onder de WA-verzekering voor de auto. Een stacaravan rijdt niet op de weg: daarvoor is geen WA-dekking nodig. De WA-dekking voor de caravan voegt dus niet veel toe.

Het dekkingsgebied van een stacaravan verschilt per verzekeraar. ASR beperkt de dekking bijvoorbeeld tot Nederland. Interpolis en Unigarant zijn een stuk royaler. De caravan mag in de Benelux staan en binnen een strook van 100 respectievelijk 150 km in Duitsland, gerekend vanaf de Nederlandse grens. Schade aan een toercaravan en vouwwagen is doorgaans gedekt in heel Europa, soms inclusief de niet-Europese landen rond de Middellandse Zee. Maakt u een reis van maximaal zes maanden, dan is er bij een aantal verzekeraars ook werelddekking.

Er zijn verschillende soorten cascoverzekeringen mogelijk. Bij veel maat-schappijen kunt u kiezen tussen verzekeringen met een beperkte en met een uitgebreide dekking. Het belangrijkste verschil betreft de nieuw-waardeperiode: de periode waarin u bij totaalverlies de nieuwwaarde krijgt uitgekeerd. Bij de ene verzekeraar heeft u de keus uit één of drie jaar, bij de ander kunt u kiezen voor vijf of tien jaar.

De uitgebreidste caravanverzekering dekt:

- WA;
- hulpverlening in het buitenland;
- schade door brand en diefstal;
- schade door een storm;
- schade na een aanrijding;
- huur van een vervangend vakantieverblijf;
- kosten van de terugreis;
- hagelschade;
- schade door eigen gebrek.

Er zijn ook verzekeraars die de bovenstaande zaken apart verzekeren. Vooral de brand-, diefstal- en aanrijdingsverzekering worden vaak apart aangeboden.

Hagelschade

Kijk of dekking tegen hagelschade in de premie is inbegrepen. Zo niet, dan is het verstandig dit los bij te verzekeren.

Beperkt en uitgebreid

Het verschil tussen een 'beperkte' en 'uitgebreide' dekking ligt per maatschappij anders. Uitbreidingen van de ene verzekeraar kunnen bij de andere in de beperkte dekking zijn opgenomen. Tegenover uitbreidingen staat natuurlijk een hogere premie. De hoogte daarvan is afhankelijk van de nieuwwaarde van de caravan met standaarduitrusting.

In het algemeen bestaat de uitbreiding uit:

- een ruimere 'eigengebrek'-regeling (vergoeding van reparatiekosten van het eigen gebrek);
- een hogere tegemoetkoming in de huurkosten voor een vervangend vakantieverblijf;
- indexering van de verzekerde bedragen;
- een langere nieuwwaardeperiode (tot tien jaar) en een afwijkende afschrijving daarna;
- geen of een lager eigen risico;
- een ruimer dekkingsgebied.

3.3b   Aanbouw en inboedel

De caravan, voortent, aanbouw en inboedel zijn bij caravanverzekeringen standaard gedekt tegen brand, diefstal en schade als gevolg van aanrijden, slippen, omslaan, storm en ander 'van buiten komend onheil'. Schade door eigen gebrek, bijvoorbeeld als de caravan door zijn as zakt, is in beperkte mate gedekt. Gevolgschade van een eigen gebrek, zoals brand, botsen, van de weg raken en dergelijke, is altijd gedekt. Andere schaden en het eigen gebrek zelf zijn vaak alleen gedekt als u de eerste eigenaar bent en alleen gedurende een beperkte periode, zie het kader 'Unigarant en eigen gebrek'. Vergoeding van diefstalschade krijgt u alleen als er sporen van braak zijn.

De standaarduitrusting van de caravan, dus alles wat de leverancier heeft meegeleverd en wat is inbegrepen in de koopprijs, is altijd gedekt. Deze uitrusting behoort namelijk tot de caravan zelf.

De inboedel kunt u verzekeren op basis van dagwaarde of van nieuwwaarde. In het laatste geval kan een limiet gelden voor de verzekerde som, die op zijn beurt wel of niet geïndexeerd kan zijn. Bovendien is vaak bepaald dat men voor goederen met een waarde lager dan 40 of 50% van de nieuwwaarde toch uitgaat van de dagwaarde.

Unigarant en eigen gebrek

Als voorbeeld de voorwaarden van Unigarant. Eigen gebrek van de caravan is hierbij gedekt, maar uitsluitend als voldaan is aan de volgende voorwaarden:

1 de caravan is nog geen 3 jaar oud;
2 de verzekering is gesloten met een nieuwwaardeschadevergoedingsregeling van vijf of tien jaar;
3 de reparatiekosten kunnen niet worden verhaald op de fabrikant of leverancier;
4 u bent de eerste eigenaar van de caravan.

3.3c   Uitsluitingen

Vrijwel geen enkele maatschappij zal schade vergoeden die is ontstaan door onvoldoende onderhoud of zorg. Ook sluit men schade die is ontstaan terwijl de caravan tegen betaling is verhuurd vaak uit. Tegen uitlenen hebben verzekeraars geen bezwaar. Als de bestuurder van de trekkende auto geen geldig rijbewijs heeft of onder invloed is, wordt schade meestal ook uitgesloten.

3.3d   Vergoeding

Bij beschadiging vergoeden de verzekeraars de reparatiekosten tot maximaal het verschil tussen de waarde voor en na de schadegebeurtenis. Bij diefstal vergoedt men de waarde vlak voor de diefstal. Bent u de eerste eigenaar, dan geldt gedurende een aantal jaren een regeling op basis van de nieuwwaarde, vaak in combinatie met een vaste afschrijving. De exacte regeling verschilt per verzekeraar. Ook worden de kosten van berging, bewaking en vervoer naar een reparatiebedrijf vergoed.

Vrijwel alle verzekeraars vergoeden verder de kosten van repatriëring van de caravan uit het buitenland als de trekkende auto door schade niet meer verder kan rijden. Moet u hier extra voor betalen, controleer dan eerst uw autoverzekering. Deze dekking zit namelijk ook in veel autopolissen. Bijna alle verzekeraars bieden een tegemoetkoming in de kosten van een vervangend vakantieverblijf als de caravan in het buitenland verloren is gegaan of door schade onbewoonbaar is geworden, zij het met een maximum. De vergoeding ligt rond de €125 per dag met een per verzekeraar verschillend maximum van bijvoorbeeld €1250 of 30 dagen. De kosten van het na reparatie opnieuw opstellen en aansluiten op leidingen en dergelijke worden meestal ook vergoed.

Soms geldt de vergoeding alleen voor stacaravans of voor gevallen waarin de caravan totaal verloren is gegaan. Soms worden de reparatiekosten alleen vergoed als u daadwerkelijk tot herstel overgaat. Wordt bijvoorbeeld hagelschade niet gerepareerd, dan krijgt u alleen een bedrag voor waardevermindering vergoed.

3.3e   Waardeberekening

De hoogte van de schade-uitkering wordt meestal vastgesteld op basis van de dagwaarde. Dat is de werkelijke waarde onmiddellijk vóór de schadegebeurtenis. Bij nieuwe caravans is er, afhankelijk van de verzekeraar en uw keuze, één of meer jaar sprake van nieuwwaarderegeling. In de periode dat de nieuwwaarderegeling geldt, is niet vaak sprake van totaalverlies. Daarom hebben veel verzekeraars een 'tweederderegeling' in hun polis opgenomen. Daardoor krijgt u op basis van totaalverlies uitgekeerd zodra de reparatiekosten meer dan tweederde van de waarde volgens de vaste waardebepaling bedragen.

Denk aan overlap

Een caravanverzekering kan voor een deel risico's dekken die al via andere polissen zijn gedekt. Voorzieningen voor repatriëring overlappen nogal eens met de regeling in autopolissen. Schade die wordt veroorzaakt door een losgekoppelde en buiten het verkeer tot stilstand gekomen caravan wordt bijvoorbeeld afgedekt door een AVP. Hetzelfde risico, maar dan in aangekoppelde toestand, wordt niet gedekt door de caravanpolis, omdat dat door de WA-verzekering van de auto wordt gedekt. Voorts kan er overlap zijn met de inboedelverzekering voor woonhuizen: die polis is namelijk ook van kracht als de huishoudelijke inboedel zich tijdelijk buiten de woning (maar binnen Europa) bevindt. Ook bij brandschade en bij diefstal na braak uit een afgesloten auto (binnen Nederland) kunnen caravan- en inboedelverzekering overlappen. De inboedelverzekering geldt niet voor een (permanente) caravaninventaris. Ten slotte kan er voor de inboedel een overlap zijn met de reisverzekering, namelijk als de caravanverzekering ook bepaalde zaken uit de persoonlijke reisbagage dekt.

3.3f   Uw keus

Neem voor een (vrijwel) nieuwe caravan bij voorkeur een verzekering
met uitgebreide dekking. Die biedt namelijk bij total loss in de eerste
verzekeringsjaren vaak een hogere uitkering.

Sluit voor een wat oudere caravan bij voorkeur een verzekering af met
een beperkte dekking. Controleer altijd vooraf of de polis dekking biedt
in de landen waar u met de caravan naartoe gaat.

3.4   Pleziervaartuigen

Er zijn niet zo veel aanbieders van pleziervaartuigverzekeringen. Deze
verzekeringen zijn bij uitstek terrein van gespecialiseerde verzekeraars.
De weinige algemene verzekeraars die deze verzekering aanbieden, zijn
erg duur.

EOC en SON zijn gespecialiseerde verzekeraars in bootverzekeringen.
Ook Datacombinatie Yacht Verzekeringen en Kuiper Verzekeringen zijn
specialisten, maar dit zijn gevolmachtigde tussenpersonen. Beide bieden
onder eigen naam ook verzekeringen aan. Verder kunt u nog terecht bij
Allianz, ANWB/Unigarant, Avéro Achmea, Centraal Beheer Achmea, Delta
Lloyd, De Europeesche, FBTO, Univé en Verzekeruzelf.nl.

3.4a   Casco of WA

WA-verzekering

Voor pleziervaartuigen worden, net als voor auto's, WA-verzekeringen
aangeboden. Deze vergoeden schade die u veroorzaakt aan andermans

boot en eventuele letselschade, mits u daarvoor aansprakelijk bent. Bijvoorbeeld als u geen voorrang heeft verleend of uw boot niet goed heeft aangemeerd en een andere boot raakt.

In tegenstelling tot voor automobilisten is zo'n verzekering voor watersporters niet verplicht. Toch is ze geen overbodige luxe – een ongeluk zit in een klein hoekje. Vooral letselschade kan flink in de papieren lopen. Bovendien stellen steeds meer jachthavens een WA-verzekering verplicht voor ligplaatshouders. Dit geldt bijvoorbeeld voor havens die de HISWA-voorwaarden hanteren.

Naast pure WA-verzekeringen zijn er beperkte en uitgebreide cascoverzekeringen. Is uw boot niet zo veel (meer) waard, dan is alleen een WA-verzekering voldoende. Soms is uw boot al gedekt door uw AVP (zie par. 2.5e, onder 'Te land, ter zee en in de lucht'). Check wel vooraf of uw AVP naast letselschade ook materiële schade aan andere boten dekt. Dat is namelijk niet altijd het geval.

Cascoverzekeringen

Bij duurdere boten kan een cascodekking van pas komen. Beperkte en volledige cascoverzekeringen vergoeden namelijk ook reparaties aan en verlies van uitrustingen van uw eigen boot. Ze dekken de belangrijkste risico's van uw boot af, zoals schade als gevolg van een aanvaring, brand, ontploffing, blikseminslag, diefstal, omslaan of zinken. Ook opruimings-, bewakings-, bergings- en hulpverleningskosten zijn gedekt.

De volledige cascopolis heeft in veel gevallen ook een dekking voor eigen gebrek, wat vrij bijzonder is voor een verzekering. Gaat bijvoorbeeld de scheepsmotor stuk door een constructiefout of zwakke plek, dan is niet alleen de gevolgschade (schade aan het schip als gevolg van het uitvallen van de motor) gedekt, maar ook de motor zelf. De motor mag niet te oud zijn en normale slijtage valt buiten de dekking. Schade die daardoor wordt veroorzaakt, valt weer wel binnen de dekking. Voor andere eigengebrekschaden, bijvoorbeeld het loslaten van een teakhouten dek doordat de bouwer verkeerde lijm heeft gebruikt, gelden meestal geen leeftijdseisen voor uw boot.

Een voordeel van een volledige cascodekking is dat u langer de nieuwwaarde (het bedrag dat een nieuw exemplaar nu kost) of oorspronkelijke aanschafwaarde uitgekeerd krijgt als de boot helemaal verloren gaat.

Het prijsverschil tussen een beperkte en volledige cascoverzekering is vaak niet zo groot. Meestal gaat het om een paar tientjes en bij een heel dure boot misschien om €200 per jaar. De volledige cascoverzekering biedt veel meer waar voor uw geld dan de beperkte.

3.4b   Premie

De premie van pleziervaartuigverzekeringen verschilt flink. De hoogte van de premie is afhankelijk van:

- het soort boot;
- nieuwwaarde;
- de dagwaarde;
- het vaargebied;
- de motor;
- de lengte van het schip;
- de maximumsnelheid;
- de no-claimkorting;
- het gekozen eigen risico.

Een goedkope verzekeraar kan voor dezelfde of vergelijkbare dekking tientallen procenten goedkoper zijn dan zijn concurrent.

Voor een nieuwe boot, vooral voor een stalen jacht, is de premie vaak hoger dan voor een oude(re) boot. Dit ligt anders voor een polyester kajuitjacht en een polyester sloep. Een nieuw exemplaar is bij de verzekering vaak maar iets duurder dan bijvoorbeeld een 7 of 10 jaar oud exemplaar.

Net als bij auto's wordt bij boten gewerkt met een no-claimsysteem. Door een aantal jaren schadevrij te varen, bouwt u een no-claimkorting op die afhankelijk van de verzekeraar kan oplopen tot 50%. Het is overigens niet ongebruikelijk dat een verzekeraar u meteen bij aanvang de maximumkorting geeft. Dit hangt af van hoe graag de verzekeraar u als klant wil.

Blijft u met de boot binnen Nederland, dan betaalt u doorgaans minder premie dan wanneer u ook buiten Nederland wilt varen. Bij alle verzekeraars heeft u in principe de keus uit verschillende vaargebieden, maar de indeling van die vaargebieden verschilt sterk per verzekeraar. Het type boot bepaalt overigens of er ook dekking mogelijk is op volle zee.

Vraag om de no-claimverklaring

Wilt u overstappen, vraag dan altijd bij de oude verzekeraar om een no-claimverklaring. Dat is een bewijs dat u geen schade op de verzekering heeft geclaimd. Hij geeft dit niet automatisch af, dus vraag ernaar.

Verschillen in dekking

De ene verzekeraar heeft betere voorwaarden dan de andere. Zo is de dekking van 'eigen gebrek' bij een aantal verzekeraars beduidend royaler dan bij de rest. En als uw boot helemaal verloren gaat, keert de één veel meer uit dan de ander.

Er zijn meer verschillen: ruim de helft van de verzekeraars keert bij overlijden of blijvende invaliditeit van opvarenden als gevolg van een ongeval geld uit. Maar het bedrag verschilt heel erg per aanbieder.

Ook een bijboot en een trailer zijn niet overal onbeperkt gedekt. Bij de meeste maatschappijen moet u die apart bijverzekeren.

Veel verzekeraars dekken de inboedel standaard tot 20 of 30% van de verzekerde som. U krijgt de huidige aanschafwaarde vergoed; als de spullen minder waard zijn dan 40% van de aanschafwaarde krijgt u de dagwaarde. Dat is dus gelijk aan de regeling van de inboedelverzekering (zie par. 2.2).

Als uw boot helemaal verloren raakt, door bijvoorbeeld brand of diefstal, keren enkele maatschappijen standaard de dagwaarde uit. Andere vergoeden het eerste jaar de nieuwwaarde en daarna de dagwaarde. De grootste groep keert drie of vier jaar de nieuw- of aanschafwaarde uit en daarna de dagwaarde. Belangrijk punt om mee te nemen als u een pleziervaartuigverzekering kiest!

3.4c   Uw keus

Het is heel verstandig om voor een boot een pleziervaartuigverzekering af te sluiten, met name voor boten die niet onder de AVP vallen. Maar ook als de AVP wel dekking biedt, kan een pleziervaartuigverzekering zijn nut hebben. Alleen met zo'n pleziervaartuigverzekering kunt u schade aan het eigen vaartuig verzekeren.

Hoewel het niet wettelijk verplicht is, behoort u niet zonder WA-verzekering het water op te gaan. Een boot is een behoorlijke grote investering en de kans op schade is bepaald niet denkbeeldig.

Voor de wat duurdere boten kunt u het beste een cascoverzekering afsluiten. Omdat het prijsverschil tussen een beperkte en een volledige cascoverzekering niet zo groot is en de voordelen van deze laatste reëel zijn, raden we een volledige cascoverzekering aan.

3.5 Reizen

Ziekte, diefstal van bagage, een ongeval: er kan u van alles overkomen op reis of tijdens uw vakantie. Naast ongerief en narigheid kan dat ook een financiële strop betekenen. De verzekeringen die u thuis heeft, gelden op reis en vooral in het buitenland soms maar ten dele en soms helemaal niet. Een reisverzekering kan dan nuttig zijn.

Een afweging vooraf of een reisverzekering nodig is en welke onderdelen dan verzekerd moeten worden, kan geld opleveren en ellende achteraf over de uit te keren bedragen voorkomen.

Een reisverzekering is modulair opgebouwd. Er is maar één onderdeel dat u bij elke verzekeraar moet kiezen: 'buitengewone en onvoorziene kosten' (zie par. 3.5a). Dit is niet voor niets: dit onderdeel is de reden waarom eigenlijk niemand zonder reisverzekering op stap moet gaan. We bespreken daarnaast de bagage, geneeskundige kosten, onvoorziene kosten, ongevallen en wintersportdekking.

Tip

Alarmcentrale

Neem altijd contact op met de alarmcentrale van de reisverzekeraar als er iets gebeurt. Zo voorkomt u achteraf teleurstelling als extra kosten niet gedekt blijken te zijn. Bovendien hebben de mensen van de centrale ervaring met alle mogelijke situaties en nuttige contacten ter plaatse.

3.5a   Buitengewone en onvoorziene kosten

Deze module draagt verschillende benamingen: buitengewone kosten, onvoorziene kosten of (persoonlijke) hulpverlening. Dit is verreweg het belangrijkste onderdeel van een reisverzekering en zit altijd in het standaardpakket. Het dekt bijvoorbeeld de kosten voor opsporings- of reddingsacties als u tijdens een bergwandeling verdwaalt of gewond raakt. De kans op dit soort voorvallen is misschien niet groot, maar áls ze optreden, kunnen de kosten behoorlijk oplopen. De inhoud verschilt per verzekeraar.

Standaard gedekte kosten

De volgende kosten worden volledig gedekt:

- Verlies paspoort: hulp bij het verkrijgen van een nieuw paspoort, contacten met de juiste instanties.
- Repatriëring bij ongeval, ziekte of overlijden: het vervoer naar huis van de verzekerde.
- Terugroeping bij overlijden: extra reiskosten als een verzekerde teruggeroepen wordt vanwege het overlijden van de partner, een kind of een naast familielid. Vaak geldt deze dekking ook bij een levensbedreigende situatie na een ongeval of bij ziekte.
- Terugroeping bij materiële schade: extra reiskosten als een verzekerde teruggeroepen wordt vanwege materiele schade aan de woning (en vaak ook eigen bedrijf) door bijvoorbeeld brand.
- Extra kosten voor reizen: extra reiskosten die door de verzekerde gemaakt worden vanwege ziekte of een ongeval.
- Opsporings-, reddings- en bergingsacties bij vermissing, ongeluk of overlijden.

Ga voor volledige dekking

De kosten voor opsporings-, reddings- en bergingsacties zijn bij vrijwel alle verzekeraars volledig gedekt, maar een enkele verzekeraar heeft deze dekking gemaximeerd. Omdat deze kosten flink op kunnen lopen, raden we een volledige dekking aan.

Overige gedekte kosten

Naast de standaard gedekte kosten is de dekking per verzekeraar verschillend. Kosten die vaak vergoed worden, al is het soms gemaximeerd, zijn:

- Telecomkosten: kosten voor het bellen met de alarmcentrale en/of noodzakelijke gesprekken met het thuisfront.
- Vervoer bij ziekenhuisbezoek: kosten voor het bezoeken van een verzekerde die in het ziekenhuis terechtkomt tijdens de reis.

- Medicijnen: verzendkosten voor versturen van de benodigde medicijnen naar de verblijfsplaats.
- Voorschot geneeskundige kosten: op verzoek voorschieten van noodzakelijke medische kosten. De module geneeskundige kosten vergoedt de kosten voor medische hulp.
- Overkomst van familie bij begrafenis of crematie in het vakantieland.
- Extra kosten voor verblijf: extra verblijfskosten die gemaakt worden door de verzekerde vanwege ziekte of een ongeval.
- Reiskosten bij oponthoud: extra reiskosten bij oponthoud door natuurgeweld of staking.

3.5b Bagage

Veel reizigers nemen vanwege de bagagedekking een reisverzekering, maar het nut hiervan is twijfelachtig, zeker als u geen of weinig nieuwe spullen meeneemt. Aan de vergoeding zijn bovendien nogal wat voorwaarden en beperkingen verbonden, zoals de hoogte ervan, het aantonen van de meegebrachte bagage en de omgang met de bagage. Daarom is het handig dat de bagagedekking bij verschillende verzekeraars optioneel is.

De bagagemodule dekt de schade aan en diefstal of vermissing van bagage. Er is een maximumvergoeding per persoon. De hoogte daarvan verschilt sterk per verzekeraar en ligt tussen de €1000 en €5000 per persoon. Sommige verzekeraars hebben verschillende pakketten, met verschillende hoogten. Een aantal verzekeraars hanteert ook een maximale schadevergoeding per polis, vaak twee- tot driemaal het bedrag per persoon.

Voor bepaalde categorieën gelden lagere maximale vergoedingen, onder andere:

- foto-, film- en videoapparatuur;
- computerapparatuur en spelcomputers;
- audioapparatuur;
- telecomapparatuur;
- sieraden en horloges;
- muziekinstrumenten;
- brillen en contactlenzen;
- gehoorapparatuur;
- prothesen;

- medische apparatuur;
- kampeeruitrusting;
- hobby- en sportuitrusting;
- fiets.

Vaak behoren meerdere categorieën tot dezelfde maximumdekking. Camera, laptop, portable dvd-speler en navigatieapparatuur vallen bijvoorbeeld meestal onder dezelfde dekking. Als het maximumbedrag aan vergoeding dan €2000 per polis is, kom je al snel tekort als alles gestolen wordt. De gemiddelde maximale vergoeding voor telecomapparatuur ligt tussen de €200 en €350 per persoon. De meeste nieuwe smartphones zijn duurder.

Sportuitrusting is binnen de reisverzekering soms ook nog apart te verzekeren. Dit kan nuttig zijn, bijvoorbeeld als u uw eigen duikspullen meeneemt.

Alle bagageschade wordt gewaardeerd op de dagwaarde, maar spullen die nog geen jaar oud zijn, worden vaak tegen nieuwwaarde vergoed. Voor artikelen ouder dan een jaar gelden meestal flinke afschrijvingspercentages. De afschrijvingspercentages die worden gehanteerd, worden niet gepubliceerd. Voor met name computers, laptops, tablets, smartphones, foto- en filmcamera's gaat de afschrijving snel.

Tip

Gezin?

Een gezin met twee of meer kinderen doet er goed aan om te kiezen voor een reisverzekering zonder maximumvergoeding per polis.

Wat moet ik doen?

Als uw bagage gestolen wordt of verloren raakt, moet u dat direct bij de politie ter plaatse aangeven. Als de plaatselijke autoriteiten niet meewerken, moet u proberen via hoteldirectie of reisleiding een schriftelijke verklaring te krijgen. Met het aangeven bij de verzekeraar kunt u wachten tot u thuis bent.

Wees niet nonchalant met uw bagage. Spullen die worden gestolen als u ze onbeheerd in de auto of op het strand heeft achtergelaten, worden door veel maatschappijen niet vergoed. Laat uw spullen daarom altijd achter op plaatsen die naar omstandigheden het veiligst zijn. Een tent of auto wordt vaak niet als geschikte bergplaats voor waardevolle spullen beschouwd. Geld, cheques en kostbaarheden moet u bij u houden of bijvoorbeeld in het hotel in bewaring geven of in een te huren kluisje achterlaten.

Tip

Check vooraf

In de polisvoorwaarden staat hoe u met uw spullen om moet gaan. Is iets onduidelijk, bel dan voordat u op reis gaat de verzekering over omgangs- en opbergvoorschriften. Daarmee voorkomt u dat u bij diefstal tweemaal met lege handen staat.

Om voor uitkering in aanmerking te komen, moet u voorts kunnen bewijzen dat u in het bezit bent geweest van het verloren gegane. Dat kan door middel van de aankoopnota of, als u die niet meer heeft, een garantiebewijs of foto. Voor kostbaarder zaken is een (recent) taxatierapport aan te bevelen. Van spullen die u na diefstal direct wilt vervangen, moet u de betaalbewijzen bewaren.

Tip

iPad en smartphone mee?

Bedenk goed welke spullen u op vakantie echt nodig heeft en houd er rekening mee dat de dekking vaak erg laag is. Bij steeds meer verzekeraars is het mogelijk tegen premiekorting bagage uit de dekking te laten of een eigen risico te nemen. Lees eerst de volledige verzekeringsvoorwaarden voordat u een keus maakt.

Wilt u uw kostbare spullen toch verzekeren, dan is de buitenshuisdekking met werelddekking vaak een beter alternatief (zie par. 2.3). Kies dan wel voor een verzekering waarbij de hoogte van de schadevergoeding wordt bepaald op basis van nieuwwaarde. Ga ook na of de maxima voor de zaken die u graag gedekt wilt hebben niet te laag zijn. Een groot voordeel van buitenshuisdekking is dat die gedurende 365 dagen per jaar dekking biedt en niet alleen tijdens de vakantie.

In de *Consumentengids* van februari 2013 vindt u een test van doorlopende reisverzekeringen waarin specifiek naar de dekking en vergoeding van kostbaarheden is gekeken.

Geld & cheques

Neem niet te veel geld contant mee. Tegenwoordig kunt u op de
meest onherbergzame plaatsen terecht met uw bankpas of creditcard.
Vertrouwt u dit niet, dan kunt u via www.visa.com/atmlocator opzoe-
ken waar de dichtstbijzijnde geldautomaat is.

Geld is soms met de bagage meeverzekerd. Is dat niet het geval, dan
kunt u dit bij de meeste reisverzekeringen aanvullend verzekeren.
De dekking voor die module is laag, van €230 tot maximaal €750 per
polis. Net als bij de bagagedekking gelden ook voor de geldmodule
strenge voorwaarden en eisen.

Niet zomaar vervangen

Bent u slachtoffer van diefstal, ga dan niet zomaar tot vervanging
over. Zeker als het om grotere bedragen gaat, is het beter eerst met de
verzekeringsmaatschappij te overleggen.

3.5c   Geneeskundige kosten

De module geneeskundige kosten of medische binnen de reisverzekering vergoedt alle kosten voor spoedeisende medische hulp op vakantie.
Deze module zit steeds vaker in de standaarddekking, maar is ook nog
optioneel te verzekeren. Omdat de verplichte basiszorgverzekering ook
wereldwijd spoedeisende hulp dekt, moet u oppassen voor oververzekering.

Met de basiszorgverzekering heeft elke Nederlander wereldwijd recht op
onvoorziene nood(zakelijke) zorg. Als u op vakantie bent en een ongeluk
krijgt of heel erg ziek wordt, worden de ziekenhuiskosten dus vergoed.
Maar let op: de wet gaat uit van wat de behandeling in Nederland kost.
Wie bijvoorbeeld een operatie moet ondergaan in de VS zal flink moeten
bijbetalen. De kosten voor de gezondheidszorg zijn daar namelijk veel
hoger dan hier. Ook in Canada, Zwitserland, Japan en een aantal Zuid-
Amerikaanse landen liggen de kosten veel hoger.

De kosten liggen ook vaak hoger als u naar een privékliniek wordt gebracht in plaats van naar een openbaar ziekenhuis. Dat gebeurt vaak in
bijvoorbeeld Griekenland, Spanje en bepaalde skigebieden in Oostenrijk.
De kosten boven het Nederlandse tarief zijn ook dan voor eigen rekening.

Om u goed te verzekeren tegen deze extra medische kosten in het buitenland kunt u kiezen uit:

- een reisverzekering met dekking voor geneeskundige kosten;
- een aanvullende verzekering bij uw basiszorgverzekering.

Via de reisverzekering
De dekking voor geneeskundige kosten binnen een reisverzekering is niet gemaximeerd. Het voordeel van de reisverzekering is dat ook het eigen risico van de zorgverzekering gedeclareerd kan worden op de reisverzekering.
De plus- en minpunten van een reisverzekering:
+ uitgebreide en hoge dekking;
+ het hele jaar door af te sluiten;
+ ook het eigen risico is gedekt;
- kan dubbelen met de zorgverzekering.

Via een aanvullende zorgverzekering
Een extra dekking in het buitenland is ook te realiseren via een aanvullende zorgverzekering, maar die dekt doorgaans lang niet alle (bijkomende) kosten. Noodhulpverlening, zoals een eventuele reddingsoperatie, vervoer van gezinsleden of repatriëring vanwege een overlijdensgeval worden door de meeste aanvullende zorgpakketten niet gedekt en kunnen bijzonder kostbaar uitpakken.
Bij sommige aanvullende zorgpolissen is de dekking buiten Europa bovendien beperkt tot maximaal tweemaal het in ons land geldende tarief.
De plus- en minpunten van een aanvullende zorgverzekering buitenland:
+ geen extra losse verzekering;
- dekt niet alle kosten;
- hoe hoger het eigen risico, hoe meer u zelf betaalt;
- soms maximering tot tweemaal het Nederlandse tarief;
- niet het hele jaar af te sluiten.

Geeft u de voorkeur aan bijverzekeren via de zorgverzekeraar, houd daar dan rekening mee bij de keus voor een reisverzekeraar. Sommige hebben namelijk de geneeskundige kosten standaard opgenomen. U bent dan oververzekerd. Meer over de overlap tussen reis- en zorgverzekering vindt u in de *Reisgids* van mei 2014.

3.5d   Ongevallen

Het ongevallendeel van de reisverzekering omvat een uitkering bij overlijden of blijvende invaliditeit door een ongeval. Bij gedeeltelijke invaliditeit wordt maar een deel van de verzekerde som uitgekeerd. Onder de ongevallenverzekering vallen dus geen kosten voor geneeskundige hulp! Ongevallen als gevolg van alcohol- en drugsgebruik zijn altijd uitgesloten. Ongevallen die ontstaan tijdens het beoefenen van een sport worden lang niet altijd door alle verzekeraars op dezelfde manier behandeld. Zie het kader 'Sportieve vakantie'.

Het is zaak dat u de polisvoorwaarden hierop vooraf goed naleest. In sommige gevallen gelden deze uitsluitingen ook voor het onderdeel geneeskundige kosten en voor onvoorziene kosten.

Tip

Nodig?

Bedenk dat een extra ongevallendekking via de reisverzekering meestal niet nodig is als u een levens- of ongevallenverzekering heeft. En als u dit risico in Nederland niet verzekerd heeft, waarom zou u het dan op reis wel verzekeren? Wilt u uw nabestaanden goed verzorgd achterlaten bij uw overlijden, dan ligt een overlijdensrisicoverzekering veel meer voor de hand dan de module ongevallen in de reisverzekering.

3.5e   Wintersport

Dekking voor wintersport moet u meestal apart meeverzekeren. Het is zeker verstandig om dat te doen. De kosten voor bijvoorbeeld een helikopter als u van de piste afgehaald moet worden, kunnen flink oplopen. Dit wordt niet vergoed zonder wintersportdekking.

Deze dekking is alleen nodig bij het beoefenen van een wintersport. Glijdt u op vakantie tijdens een wandeling naar de bakker uit in de sneeuw en breekt u uw heup, dan valt dit onder onvoorziene en/of medische kosten.

De dekking voor buitengewone kosten en andere standaard- of extra modulen gelden niet als u de module wintersport niet meeverzekerd heeft. Valt u op de piste en heeft u wintersport niet meeverzekerd? Dan heeft u voor de medische zorg alleen recht op vergoeding vanuit de basiszorgverzekering. Wordt u met een banaan naar beneden gehaald?

De kosten zijn voor eigen rekening. Worden uw ski's gestolen? Geen dekking vanuit de module bagage. Voor al deze vergoedingen heeft u de wintersportmodule nodig.

Verder dekt deze module:

- Huur van materiaal, lessen en skipas als u daar door een ongeval of ziekte geen gebruik meer van kunt maken: niet-genoten dagen, meestal tegen kostprijs.
- Wintersportuitrusting: dit valt meestal onder de bagagedekking.
- Wintersportuitrusting extra: bij sommige verzekeraars is het mogelijk om boven op de maximale vergoedingen onder de bagagedekking een extra bedrag te verzekeren voor een eigen wintersportuitrusting.

Extreme wintersporten en deelname aan wedstrijden zijn uitgesloten van de dekking. Let ook op als u buiten de piste gaat skiën of snowboarden. Als u dat doet zonder begeleiding van een ervaren gids of instructeur, is dit vrijwel altijd uitgesloten van dekking.

Sportieve vakantie

Voor wintersporters is wintersportdekking onmisbaar. Ook bij andere sporten moet u de dekking goed in de gaten houden. Onderwatersportdekking zit meestal standaard in het pakket, net als dekking voor schaatsen en langlaufen. Gevaarlijke sporten, zoals parachutespringen, bergbeklimmen, wildwatervaren, motorracen en vechtsporten, zijn vaak uitgesloten. Het verschilt per verzekeraar of deze apart kunnen worden bijverzekerd. Meestal is de ongevallendekking hierbij uitgesloten en zijn slechts de onvoorziene uitgaven als gevolg van het ongeval gedekt.

3.5f   Premie

Vaak kunt u bij een reisverzekering kiezen uit pakketten met oplopende verzekerde bedragen voor de verschillende onderdelen, waarbij uiteraard ook de premies oplopen. Zo kunt u uw verzekering afstemmen op uw behoefte. Meestal kunt u de premie drukken door een eigen risico te nemen. U kunt doorgaans kiezen voor Nederland-, Europa- of werelddekking. Kinderen tot 5 jaar zijn soms gratis, soms tegen een aangepaste premie meeverzekerd.

Als u in een jaar tijd veel reizen maakt of lang van huis bent, kunt u overwegen een doorlopende reisverzekering voor particulieren voor een jaar te nemen. Dat kan voordeliger zijn dan elke keer een gewone reisverzekering afsluiten (zie het kader 'Doorlopende reisverzekering algauw voordeliger').

Voor deze doorlopende verzekering bieden verzekeraars steeds meer (ook goedkope) alternatieven aan. De laatste jaren is de combinatie van annulerings- en reisverzekering bij verzekeraars populair. Deze combinatie kent een uitgebreider pakket annuleringsgronden dan de gewone annuleringsverzekering. Bovendien wordt bij het afbreken van de reis de mogelijkheid geboden de gehele reis op een later tijdstip over te doen.

Tip

Gebruik de vergelijker van de Consumentenbond

Op de site van de Consumentenbond kunt u via de Reisverzekeringvergelijker makkelijk de voor u voordeligste én beste reisverzekering vinden.

3.5g   Uw keus

Met een verzekering met een beperkte basisdekking en een paar aanvullende modulen kunt u fors besparen, want veel aanvullende modulen zijn overbodig.

De dekking voor buitengewone of onvoorziene kosten, die standaard deel uitmaakt van een reisverzekering, is veruit het belangrijkst want die kosten kunnen flink in de papieren lopen. Ga voor een hoge of liefst onbeperkte dekking voor opsporings-, bergings- en reddingsacties.

Bij alle andere modulen ligt oververzekering op de loer. Kijk goed naar de verzekeringen die u al heeft, zoals voor medische zorg, rechtsbijstand, auto, inboedel, kostbaarheden, ongevallen en hulp bij autopech. Bedenk ook dat een reisverzekering altijd een aanvullend karakter heeft.

Ga verder na of de voorwaarden en dekkingen bij uw reisgedrag en/of bestemmingen passen. Controleer ten slotte de hoogte van het eigen risico, die kan per verzekeraar verschillen.

Doorlopende reisverzekering algauw voordeliger

Een doorlopende reisverzekering biedt het gehele jaar dekking voor reizen van (meestal) maximaal 42 dagen, maar soms ook voor 6 maanden of een jaar. Soms wordt zo'n doorlopende reisverzekering aangeboden als zakenreisverzekering waarop ook dekking wordt verleend voor vakantiereizen.

Een doorlopende reisverzekering kan voordeliger zijn dan een paar losse verzekeringen. Het omslagpunt ligt voor een gezin bij twee weken vakantie, voor een stel bij drie weken en voor een alleenstaande bij drie à vier weken (niet aaneengesloten).

Er zijn meer voordelen, zoals het gemak: u hoeft niet telkens opnieuw een reisverzekering af te sluiten. Bovendien biedt de verzekering ook dekking bij dagtrips over de grens en weekendjes weg.

Meestal biedt de reisverzekering dekking in Europa, inclusief de niet-Europese landen rond de Middellandse Zee, de Azoren, Madeira en de Canarische Eilanden. Wie ook daarbuiten verzekerd wil zijn, kan kiezen voor werelddekking. Sommige verzekeraars hebben hiervoor een aparte verzekering, maar bij de meeste is het een optie binnen de reisverzekering. Zet deze optie niet aan als u er geen gebruik van maakt. Bij de meeste verzekeraars kunt u de Europadekking eenmalig uitbreiden naar een werelddekking of per jaar kiezen welke dekking gewenst is.

Vergelijk bij een doorlopende reisverzekering wel jaarlijks of uw verzekering nog de beste is, de premies veranderen namelijk regelmatig. Houd uw reisverzekering ook tegen het licht als het reispatroon wijzigt, waardoor dekkingen nodig of juist niet meer nodig zijn, bij veranderingen in de gezinssituatie en na overstap naar een andere zorgverzekeraar of het nemen van een andere aanvullende zorgverzekering.

3.6 Annuleren

Een annuleringsverzekering biedt onder meer een uitkering als de reis door ernstige ziekte of overlijden van naasten niet kan doorgaan of moet worden afgebroken. Ook (complicaties bij) zwangerschap, onvrijwillige werkloosheid en een op de klippen gelopen relatie zijn meestal grond voor annulering.

Bij goedkope reizen is het te overwegen het annuleringsrisico zelf te dragen. Bij dure reizen is een annuleringsverzekering wel verstandig. Een annuleringsverzekering afsluiten is ook verstandig als bijvoorbeeld uw ouders niet meer zo'n goede gezondheid hebben.

Let goed op de geldige annuleringsgronden (zie par. 3.6c) en de maximale bedragen van de dekking. Natuurlijk speelt ook de te betalen premie een belangrijke rol bij de keus.

Sommige maatschappijen kennen een garantieannulering, die inhoudt dat je bij een ziekenhuisverblijf tijdens de vakantie of voortijdige terugkeer de volledige reissom terugkrijgt, in plaats van een evenredig deel.

Wat als reisgenoten annuleren?

Als u met uw reisgenoot als verzekerden op één polis staat, is het gewoonlijk geen probleem wanneer uw reisgenoot moet annuleren. Is dat niet het geval, dan stellen verzekeraars vaak voorwaarden. Meestal moet de reisgenoot een annuleringsgrond hebben die ook onder uw verzekering valt of een eigen annuleringsverzekering hebben die dekking biedt. Vaak geldt ook de eis dat u met de reisgenoot heen en terug zou reizen.

3.6a   Kortlopende of doorlopende annuleringsdekking

De dekking voor annuleren kunt u als aanvullende module bij de doorlopende reisverzekering afsluiten. Daarvoor betaalt u extra premie. Er zijn ook losse doorlopende annuleringsverzekeringen te verkrijgen. Voor beide geldt dat alle niet-zakelijke reizen in binnen- en buitenland gedekt zijn, dus ook een stedentrip met overnachting in Antwerpen. Bij sommige verzekeraars zijn ook dagtripjes (zonder overnachting) naar het buitenland gedekt.

Heeft u geen doorlopende reisverzekering of wilt u het annuleringsrisico niet doorlopend afdekken? Dan kunt u een kortlopende annuleringsverzekering afsluiten. Voordeel hiervan is dat u per reis kunt afwegen of de verzekering nodig is. De premie van een kortlopende annuleringsverzekering ligt tussen de 4 en 5,5% van de reissom. Afsluiten kan bij veel verzekeraars online.

Gaat u een dure reis maken en heeft u een doorlopende annuleringsverzekering? Let dan op de maximale vergoeding van de reissom. Deze is bij doorlopende annuleringsverzekeringen gemaximeerd per persoon en soms ook per polis. Het verschil kunt u met een kortlopende annuleringsverzekering bijverzekeren. Sluit die af bij de verzekeraar waar ook de doorlopende annuleringsverzekering loopt. Dan krijgt u bij schade geen gedoe over wie er moet uitkeren.

3.6b   Samengestelde reis

Een samengestelde reis is een reis waarbij u alle onderdelen zelf, los van elkaar, boekt. Dit in tegenstelling tot een pakketreis, waar vlucht, hotel en andere zaken als een geheel geboekt worden.

Samengestelde reizen zijn niet altijd verzekerd. Als een onderdeel uitvalt en daardoor de gehele reis niet door kan gaan, krijgt u alleen een vergoeding voor het betreffende onderdeel. Denk aan een pension waar u zou verblijven dat door brand wordt verwoest. In de directe omgeving is niets anders beschikbaar en daardoor moet u de gehele reis annuleren. Als samengestelde reizen niet gedekt zijn, krijgt u alleen de kosten voor het pension vergoed. Als samengestelde reizen wel gedekt zijn, krijgt u alle kosten terug. Dus ook van de vlucht en bijvoorbeeld de gehuurde auto. In de voorwaarden staat vermeld of samengestelde reizen gedekt zijn.

Checklist annuleringsverzekering

- Gaat u meerdere keren per jaar op vakantie? Overweeg dan een doorlopende reisverzekering met annuleringsdekking.
- Kunt u het risico op annuleren financieel dragen? Verzeker dan alleen een dure vakantie met een tijdelijke annuleringsverzekering.
- Heeft u oude en/of met hun gezondheid kwakkelende ouders, dan ligt een annuleringsverzekering meer voor de hand dan bij ouders in blakende gezondheid.
- Bedenk welke gebeurtenissen om te annuleren voor u belangrijk zijn.
- Gaat u met een groep vrienden op reis? Kijk dan of u ook het geld terugkrijgt als de reis niet doorgaat omdat een van uw reisgenoten moet annuleren.
- Boekt u vlucht en hotel los? Ga dan na of uw verzekering een samengestelde reis dekt.
- Kijk of vooraf geboekte excursies of voorstellingen meeverzekerd zijn.
- Trakteert u de familie op een vakantie? Let dan op of u bij annulering alle reiskosten vergoed krijgt.

3.6c   Dekking

Een annuleringsverzekering vergoedt de reissom als een in de voorwaarden genoemde gebeurtenis zich voordoet. De verschillen tussen verzekeraars zijn hierbij groot. Zo vergoedt de ene verzekeraar het overlijden van een huisgenoot wel, de andere niet. Een ernstig ongeval van een neefje of nichtje (derdegraadsfamilie) is bij veel verzekeraars niet gedekt, maar bij een enkele wel. Bij een aantal verzekeraars is echtscheiding geen annuleringsgrond. Ook over ontslag als annuleringsgrond denken de verzekeraars verschillend. Kijk dus goed in de voorwaarden welke gebeurtenissen gedekt zijn, voordat u een annuleringsverzekering afsluit.

Tip

Sluit op tijd de verzekering af

Heeft u geen doorlopende reisverzekering met annuleringsdekking? Let dan op dat u op tijd een annuleringsverzekering afsluit. Dit moet namelijk vaak binnen 7 tot 14 dagen na het boeken van de reis. Laat u niet verleiden tot het afsluiten van een verzekering bij het boeken. Reisbureaus, ook online, bieden slechts één verzekering aan en dat is vaak niet de goedkoopste. Denk liever (thuis) even na of u wel een annuleringsverzekering nodig heeft en wat die zou moeten dekken. De meeste kortlopende annuleringsverzekeringen zijn online af te sluiten.

04

LIJF & LEDEN

Natuurlijk zijn er ook verzekeringen die te maken hebben met uzelf: uw gezondheid, uw werk en uw overlijden.

In dit laatste hoofdstuk leest u over verzekeringen die met uzelf te maken hebben. We bespreken de verzekering van medische kosten via de zorgverzekering (par. 4.1), de arbeidsongeschiktheidsverzekering (par. 4.2), de woonlastenverzekering (par. 4.3) en de ongevallenverzekering (par. 4.4). In par. 4.5 en 4.6 komen respectievelijk nog de uitvaart- en de rechtsbijstandsverzekering aan bod.

4.1 Gezondheid

Een zorgverzekering bestaat uit de basisverzekering en eventuele aanvullende verzekeringen. De basisverzekering is in ons land verplicht. Het is dan ook logisch dat zorgverzekeraars iedere verzekeringsplichtige voor de basisverzekering moeten accepteren.

De inhoud van het basispakket is bij elke zorgverzekeraar gelijk, maar in de manier waarop u de zorg vergoed kunt krijgen, zit een belangrijk verschil. Bij een *naturapolis* krijgt u alleen de maximale vergoeding als u naar een zorgverlener gaat die een contract heeft afgesloten met uw zorgverzekeraar. Heeft uw zorgverlener geen contract, dan moet u vaak een deel van de kosten zelf betalen. Bij een *restitutiepolis* krijgt u bij iedere zorgverlener dezelfde vergoeding. Deze polis is vaak wat duurder dan een naturapolis.

Tip

Zorgverzekeringen vergelijken

Omdat de inhoud en premie van de zorgverzekering ieder jaar verandert, is het slim om voor het einde van het jaar te checken of uw zorgverzekering nog wel bij u past. Veranderen van zorgverzekeraar kan meestal alleen aan het einde van het jaar. Alleen in uitzonderlijke gevallen kun je tijdens het jaar een nieuwe zorgverzekering afsluiten, bijvoorbeeld als je 18 jaar wordt, uit het buitenland komt en je verplicht moet verzekeren, of als je gaat scheiden en met je partner op één polis staat.

Bij de aanvullende verzekeringen geldt geen verplichting, noch voor de aanbieder, noch voor de consument. U bent niet verplicht een aanvullende verzekering af te sluiten en de zorgverzekeraar is niet verplicht die aan te bieden (al doen ze dat allemaal wel). Een zorgverzekeraar mag voor de aanvullende verzekering zelf de premie vaststellen en 'risicopatiënten' weigeren. Hij hoeft niet alle vormen van zorg te verzekeren. Ook mag hij wachttijden en verschillende premies voor verschillende leeftijdscategorieën hanteren en vragen stellen over uw gezondheid.

Vergelijk bij een aanvullende verzekering dus niet alleen de premie, maar ook de polisvoorwaarden. Kosten die bij de ene verzekering wel gedekt zijn, kunnen bij een andere niet of slechts deels gedekt zijn.

Ook de aanvullende verzekering kan een natura- of een restitutiepolis zijn. Er worden voor de basis- en de aanvullende verzekering ook polissen aangeboden die een natura- en restitutiepolis combineren.

Besparen op eigen risico basisverzekering

In 2014 heeft iedereen een verplicht eigen risico van €360 voor de basisverzekering (bij aanvullende pakketten geldt geen wettelijk eigen risico). Dit geldt voor bijna alle zorg uit de basisverzekering, dus ook voor medicijnen, ziekenhuiszorg en hulpmiddelen. Het geldt niet voor:

- zorg door de huisarts;
- (tandheelkundige) zorg uit de basisverzekering voor kinderen tot 18 jaar;
- verloskundige zorg;
- kraamzorg;
- bruikleenartikelen;
- gratis bevolkingsonderzoeken (bijvoorbeeld naar borstkanker);
- de griepprik voor risicogroepen.

In een enkel geval betaalt u naast het eigen risico een eigen bijdrage. Bij een gehoorapparaat moet u bijvoorbeeld 25% van de aanschafprijs zelf betalen. Is het eigen risico nog niet aangesproken, dan komt daar nog eens €360 bij. Een eigen bijdrage is – in tegenstelling tot het eigen risico – te verzekeren via een aanvullend pakket. Een paar tips:

- Bent u al door uw eigen risico voor dit jaar heen en verwacht u volgend jaar zorg nodig te hebben, bijvoorbeeld medicijnen of een gehoorapparaat? Probeer dit dan nog dit jaar te regelen. U hoeft dan geen eigen risico te betalen.
- Heeft u zorg nodig en is de situatie niet levensbedreigend? Ga dan naar de huisarts of huisartsenpost in plaats van het ziekenhuis. Voor de huisarts betaalt u geen eigen risico, voor spoedeisende hulp wel.
- Als u een hoger eigen risico neemt, scheelt dit in de premie. Doe dit niet als u weet dat u veel kosten gaat maken. Kiest u een hoger eigen risico, zet de premiekorting dan op een spaarrekening en reserveer dit geld voor zorguitgaven.
- Heeft u in het buitenland spoedeisende zorg nodig? Dien dan de rekening voor het eigen risico in bij uw reisverzekeraar. Grote kans dat deze die (deels) vergoedt.
- Heeft u medische zorg nodig na een ongeluk dat niet uw schuld was? Dan kunt u het eigen risico dat u voor de behandeling kwijt bent, verhalen op de verzekeraar van de tegenpartij.

Bij andere verzekeraar

Een aanvullende verzekering hoeft u niet per se af te sluiten bij de
verzekeraar van uw basispakket, al gebeurt dat in de praktijk meestal
wel.

4.1a   Aanvullende verzekeringen

De bekendste aanvullende verzekeringen zijn voor fysiotherapie, tandartskosten, alternatieve geneeswijzen en lenzen en brillen. We gaan daar
in deze paragraaf wat dieper op in.

Fysiotherapie

De basisverzekering vergoedt fysiotherapie pas vanaf de 21^e sessie en als
het gaat om een chronische aandoening. Voor wie meer dan twee keer
per jaar naar een fysiotherapeut gaat, is een aanvullende therapiemodule
algauw voordelig. Zie het kader 'Sandra'.

Sandra

Een tenniselleboog verhindert Sandra al weken om voluit te sporten.
Het is een terugkerende kwaal die gebaat is bij een beetje gas terug-
nemen en een paar behandelingen door de fysiotherapeut.
De tennisarm voldoet niet aan de definitie van een chronische behandeling, dus Sandra moet kiezen: zelf per behandeling €32 betalen of
een aanvullende polis afsluiten. Omdat ze niet weet hoeveel behandelingen ze jaarlijks nodig heeft, kiest ze voor het laatste.
De meeste aanvullende verzekeringen werken met een maximumaantal vergoede sessies. Dat aantal varieert van 6 tot 27. Ook andere
manuele behandelingen als ergo- en cesartherapie vallen onder dit
maximumaantal, maar soms gelden er andere voorwaarden.
Er zijn uitzonderingen, zoals de FBTO-module die een maximumbedrag per jaar uitkeert. Zolang Sandra genoeg heeft aan een standaard-
consult, is dat gunstiger dan een maximaal aantal behandelingen. Ze
moet wel opletten of de verzekeraar de fysiotherapeut van haar keus
heeft gecontracteerd.

Tandarts

Kinderen en jongeren tot 18 jaar zijn via de basisverzekering verzekerd voor de meeste tandartskosten. Orthodontie voor kinderen tot 18 jaar valt niet binnen het basispakket. Ouders met kinderen die een beugel nodig (gaan) hebben, kunnen zich hiervoor aanvullend verzekeren. Voor volwassenen valt tandartszorg in de meeste gevallen buiten het basispakket. U moet de kosten voor de tandarts zelf betalen of een aanvullende verzekering afsluiten die deze kosten dekt.

Mahinder

Mahinder heeft geen tandartsverzekering. Het jaarlijkse consult en af en toe een gaatje vullen betaalt hij uit een spaarpotje dat hij gedisciplineerd elke maand aanvult met €15 'premie'. Bij zijn laatste bezoek adviseerde de tandarts hem een kroon. Kosten: ruim €700. Dat trekt het spaarpotje van Mahinder niet. Omdat er geen haast bij is, overweegt hij een aanvullende verzekering af te sluiten.

Makkelijk kiezen is het niet. De Kiemer lijkt aantrekkelijk: bij een jaarpremie van €191,40 wordt maximaal €500 vergoed, maar per behandeling niet meer dan 80%. Bovendien vallen de techniekkosten buiten de dekking en juist die hakken er bij een kroon fors in.

Andere verzekeringen vergoeden alleen specifieke codes of sluiten een trits behandelingen uit. Nog ingewikkelder: soms wordt een consult voor 100% vergoed, een kroon slechts voor 50% en een spoedbehandeling in het weekend helemaal niet.

De verzekeraars die Mahinder op het oog heeft, hoeven hem niet zonder meer te accepteren. Ook geldt er bij een nieuwe verzekeraar soms een wachttijd voor je een bepaalde behandeling mag declareren. Een verzekeraar kan eisen dat het gebit goed onderhouden is (saneringsverklaring) of een vragenlijst aan potentiële klanten voorleggen om het risico te beoordelen. Zo'n saneringsverklaring krijg je natuurlijk niet als je een kroon nodig hebt.

Bij zeer ernstige aandoeningen van het tand-kaak-mondstelsel waarvoor bijzondere tandheelkundige zorg nodig is, worden de kosten wel vergoed uit de basisverzekering. Dit geldt ook voor bijzondere tandheelkundige zorg die nodig is om ervoor te zorgen dat uw gebit niet ver-

156

der achteruitgaat. Volwassenen die een uitneembaar kunstgebit nodig hebben voor de boven- en/of onderkaak, krijgen de kosten hiervoor ook vergoed vanuit de basisverzekering. Wel geldt daarvoor een eigen bijdrage van 25%. Ook de kosten voor de kaakchirurg worden vergoed uit het basispakket.

Tip

Bij goed gebit overbodige luxe

- Voor het jaarlijks consult en af en toe een gaatje vullen is een tandartsverzekering overbodige luxe.
- Jongvolwassenen hebben zelden hoge tandartskosten. Een aanvullende tandartsverzekering kost dan meestal meer dan ze oplevert.
- Geen tandartsverzekering? Leg het geld dat u anders kwijt was aan de aanvullende tandartsverzekering apart. Mocht u voor onverwachte uitgaven komen te staan, dan heeft u wat achter de hand.
- Kiest u toch voor een tandartsverzekering, spreid dan indien mogelijk de plaatsing van bijvoorbeeld kronen of bruggen over meerdere jaren. Veel tandartsverzekeringen hanteren een maximumvergoeding per behandeling per jaar.

Alternatieve geneeswijzen

Onder 'alternatieve geneeswijzen' vallen uiteenlopende behandelingen, waaronder homeopathie, acupunctuur, chiropraxie en kruidengeneeskunde. Verzekeraars hebben geen moeite met het gebrek aan wetenschappelijk bewijs voor de effectiviteit van alternatieve behandelingen. Wel bieden sommige verzekeraars een hogere vergoeding voor reguliere artsen die alternatieve behandelingen aanbieden. Bij hun niet-gediplomeerde collega's krijgen verzekerden dan zo'n €20 minder per consult.

De tarieven voor alternatieve geneeswijzen verschillen zelfs binnen vergelijkbare therapieën behoorlijk. Verzekeraars vangen dat meestal op door de vergoeding te maximeren, tussen €20 en €50 per dag, met een enkele uitschieter naar €85. Daarnaast kennen ze allemaal een jaarmaximum van €100 tot €1500 en is het aantal te declareren behandelingen soms gemaximeerd. Een enkele keer wordt er minder dan 100% vergoed.

Willy

Willy heeft altijd baat gehad bij behandelingen waar de reguliere wetenschap haar neus voor ophaalt. 'Reguliere artsen behandelen aan de lopende band met therapieën waarvan de effectiviteit niet vaststaat. Ik ben blij als ik ergens op kan terugvallen als de huisarts of specialist het niet weet.' Hij kiest voor een verzekering met een goede dekking voor alternatieve geneeswijzen.

Tip Relatief goedkoop
Alternatieve behandelingen zijn relatief goedkoop bij te verzekeren.

Lenzen en brillen

Alleen bij medische noodzaak komt u in aanmerking voor vergoeding voor brillen en lenzen uit de basisverzekering. Het gaat dan om speciale lenzen of bijzondere optische hulpmiddelen. Voor gewone brillen en contactlenzen is een aanvullende zorgverzekering nodig.

De vergoedingen lopen sterk uiteen: van €25 per drie jaar tot €300 per jaar. Over het algemeen geldt: hoe duurder de aanvullende verzekering, hoe hoger de vergoeding. Bij aanschaf van een complete bril mag u het montuur en de glazen declareren, maar een los montuur valt niet onder de dekking. Lenzen worden wel vergoed, maar lenzenvloeistof niet. Ook zonnebrillen zonder sterkte, eventuele aanmeet- of controlekosten en accessoires vallen buiten de dekking.

Wie trouw is aan zijn verzekeraar en verder gezond, betaalt meer premie dan de maximale uitkering. In feite geldt dit voor elke verzekering. Uit de premie moeten niet alleen de vergoedingen, maar ook de kantoor- en loonkosten en de winst van de verzekeraar betaald worden. Bovendien zit in de aanvullende module niet alleen de vergoeding voor de bril of lenzen, maar ook voor een aantal andere zaken die u wellicht niet nodig heeft. Sommige verzekeraars sluiten bepaalde opticiens geheel of gedeeltelijk uit van vergoeding of ze doen zaken met één specifieke keten. Andere beperkingen zijn een minimale oogafwijking voordat er wordt uitgekeerd of dat er maar één keer per periode mag worden gedeclareerd, ook al is de maximumvergoeding daarmee nog niet bereikt. Zie ook het kader 'Liselot'.

Liselot

Liselot spendeert jaarlijks zo'n €200 aan contactlenzen. Ze bekijkt de dekking van de aanvullende verzekeringen met argusogen en stapt desnoods elk jaar over om de maximale vergoeding binnen te halen. Daarmee omzeilt ze de beperking die de meeste verzekeraars toepassen; doorgaans krijg je namelijk maar eens in de twee of drie jaar een vergoeding voor optische hulpmiddelen.

In het buitenland

Stel dat je freelancereisjournalist bent en dus geen werkgever hebt bij wie je kunt aankloppen als je tijdens een dienstreis iets overkomt. Is het dan handig om je bij te verzekeren voor ziektekosten?

Noodzakelijke spoedeisende medische zorg in het buitenland wordt in principe gedekt door de basisverzekering. Ook als de zorg wordt verleend buiten de Europese Unie en verdragslanden als Liechtenstein, Noorwegen en IJsland. Voor deze zorg gelden standaard de Nederlandse tarieven als maximum. In Noord- en Zuid-Amerika, Japan en Zwitserland kan zorg veel duurder uitpakken en zul je moeten bijbetalen, maar ook binnen de Europese Unie kun je met meerkosten komen te zitten als je (al dan niet bewust) in een privékliniek terechtkomt.

Wie op zoek is naar aanvullende dekking voor dit soort risico's is beter af met een doorlopende reisverzekering. Bovendien heeft u dan niet te maken met het hoge eigen risico van de zorgverzekering. Denk er wel aan dat er bij doorlopende reisverzekeringen vaak een limiet zit op het aantal dagen dat u aaneengesloten in het buitenland mag verblijven. Houd er ook rekening mee dat niet alle doorlopende reisverzekeringen ook zakelijke reizen dekken. Lees de voorwaarden hier goed op na.

Wie voor andere medische zaken een aanvullende zorgverzekering overweegt, moet nagaan of meerkosten in het buitenland worden vergoed en of zaken als repatriëring en extra reis- en reddingskosten onder de dekking vallen. Ook daarvoor kan de reisverzekering een prima alternatief zijn.

Er zijn aanvullende verzekeringen die niet-spoedeisende verpleging en dagbehandeling in het buitenland zeggen te vergoeden, maar let op: dit wordt al deels door de basisverzekering gedekt. Voor niet-gecontracteerde zorg – daar is algauw sprake van in het buitenland – is de vergoeding nul of niet meer dan 50% van het bedrag dat er in Nederland voor zou worden uitgekeerd. Enkele verzekeraars vergoeden behandelingen tot 60 km over de grens als Nederlandse zorg. Lees dus goed alle voorwaarden na voordat u een verzekering afsluit.

Tip

Reisverzekering als alternatief

Wie de risico's voor dure zorg in specifieke landen wil dekken, doet dat voordeliger via zijn reisverzekering. Zie par. 3.5c.

4.1b   Uw keus

Als u gezond bent en weinig tot geen zorg nodig heeft, heeft u geen aanvullende zorgverzekering nodig. In de basisverzekering wordt immers alle noodzakelijke zorg vergoed. Alleen u kunt bepalen hoeveel zekerheid u wenst en wat u daarvoor wilt betalen.

Als u veel sport en het risico op blessures groot is, kan een verzekering voor fysiotherapie handig zijn. Als u kinderen heeft die misschien een beugel nodig hebben, is het verstandig een aanvullende verzekering voor orthodontie te nemen. Bereken van tevoren of de kosten van bijvoorbeeld de fysiotherapeut opwegen tegen de premie die u in een jaar betaalt.

Dan is er de keus tussen een natura- en een restitutieverzekering. Wie met een naturapolis naar een niet-gecontracteerde zorgverlener gaat, krijgt niet de hele rekening vergoed en moet meestal 20% zelf betalen. Met een restitutiepolis maakt het niet uit naar welke zorgaanbieder u gaat. Alleen als een behandelaar duurder is dan vergelijkbare professionals, moet u zelf het verschil betalen. Zo'n restitutiepolis is wel duurder dan een naturapolis.

Uit een test in de *Consumentengids* van 2013 blijkt dat het verschil tussen een natura- en restitutieverzekering in de praktijk meevalt. Het overgrote deel van de ziekenhuizen, huisartsen en fysiotherapeuten is namelijk door alle verzekeraars gecontracteerd.

Met een naturapolis wordt het wel beter opletten. De minister heeft zorgverzekeraars namelijk de opdracht gegeven meer aan zorgsturing te doen. Ook wil hij dat verzekeraars een behandeling door een niet-gecontracteerde zorgverlener niet meer deels vergoeden. Iemand die van veel verschillende zorgverleners gebruikmaakt en hecht aan keuzevrijheid, kan daarom beter een restitutiepolis nemen.

Premies en voorwaarden voor aanvullende verzekeringen verschillen behoorlijk. Vergelijken loont dus. U bespaart gemiddeld 31% door te veranderen van zorgverzekeraar.

Helaas is vergelijken niet makkelijk. Via de Zorgvergelijker, die vanaf half november op de website van de Consumentenbond te vinden is, kan iedereen veilig en eenvoudig overstappen naar de voor hem beste en voordeligste zorgverzekering. In deze Zorgvergelijker staat ook per verzekeraar of u er eenvoudig gegevens over uw contract kunt vinden. Bovendien zijn de acceptatievoorwaarden opgenomen.

Check uw zorgverleners

Aan het eind van het jaar of bij het wisselen van zorgverzekeraar is het verstandig om – naast de premie en vergoedingen – te checken of de vertrouwde zorgverleners (nog) wel gecontracteerd zijn.

Verzekeraars moeten voor 19 november op hun website aangeven met wie zij contracten hebben en welke vergoedingen ze hanteren voor niet-gecontracteerde zorgverlening.

Tip Aanvullende verzekering?

1 Er zijn tandartsverzekeringen waarbij geen acceptatiedrempel en wachttijd geldt. Ga in de polisvoorwaarden goed na of alle verrichtingen vergoed worden.

2 Bij twijfel kunt u het geld dat u uitspaart door geen aanvullende zorgverzekering te nemen opzij zetten voor het geval u toch aanvullende zorg nodig heeft.

3 Beantwoord in de medische acceptatielijst van de verzekeraar alleen vragen die verplicht zijn voor de polis die u aanvraagt. Een verzekeraar hoeft niet meer te weten dan nodig.

4 Achterhaal bij een aanvullende zorgverzekering eerst of u geaccepteerd bent. Als u niet wordt geaccepteerd, kunt u uw aanvraag dan nog terugtrekken zonder gevolgen voor een andere zorgverzekering?

4.2 · Arbeidsongeschiktheid

Een arbeidsongeschiktheidsverzekering (AOV) is een vrijwillige verzekering die het risico van ziekte en arbeidsongeschiktheid dekt. Wie eigen baas is, bijvoorbeeld zzp'er of directeur-grootaandeelhouder, kan eigenlijk niet zonder een AOV, maar de prijs weerhoudt velen ervan deze af te sluiten: je betaalt jaarlijks tussen de 8 en 16% van het verzekerd inkomen aan premie. Slechts een op de drie zelfstandigen heeft een AOV. De rest, de grote meerderheid dus, gokt erop dat zij gezond blijft en de dekking niet nodig heeft. Maar als dit anders uitpakt, zijn de financiële gevolgen vaak groot. Zelfstandigen hebben, in tegenstelling tot werknemers, geen recht op een uitkering van de Wet inkomen naar arbeid (WIA) en belanden meteen in de bijstand. Is er veel vermogen of een werkende partner met een inkomen boven het minimumloon, dan hebben zij zelfs geen recht op de bijstand.

Het is daarom voor iedere zelfstandige verstandig het financiële risico van arbeidsongeschiktheid goed te laten doorrekenen.

Maximale uitkering

Een aantal verzekeraars behoudt zich het recht voor een uitkering te verlagen als die hoger is dan 80% van het gemiddelde inkomen over de afgelopen drie jaar. Deze maatschappijen houden ook rekening met uitkeringen die u krijgt uit elders lopende verzekeringen. U heeft dus wel premie betaald over de hoge verzekerde som, maar krijgt niet de uitkering die daarbij hoort. Zeker voor een zelfstandige is dit een reëel risico. Met name in economisch moeilijke tijden is de kans groot dat het inkomen een stuk lager uitvalt dan waar u bij het afsluiten van de verzekering op rekende. Informeer altijd bij uw verzekeraar of hij deze correctiebepaling in de voorwaarden heeft opgenomen, voordat u de verzekering afsluit.

4.2a Premie aftrekbaar

Uit onderzoek van de Consumentenbond (*Geldgids* juli/augustus 2013) blijkt dat een AOV wel degelijk betaalbaar kan zijn. Een AOV met een verzekerd bedrag van €40.000 en een relatief goede dekking is 'al' voor €2160 per jaar te krijgen. Deze premie geldt wel voor iemand met een laagrisicoberoep (zie par. 4.2f). Bij een hoogrisicoberoep betaal je in het gunstigste geval €5330 per jaar.

De premie is fiscaal aftrekbaar, maar dat geldt niet voor de advies- en andere kosten die de tussenpersoon in rekening brengt. Rekent de tussenpersoon jaarlijks kosten voor het 'onderhoud' van de polis, dan zijn die ook helemaal voor eigen rekening.

De fiscus ziet een AOV-uitkering als inkomen. Dit betekent dat belasting wordt ingehouden op de uitkering. Hierna vindt u enkele aandachtspunten en tips hoe u de kosten van een AOV in de hand kunt houden.

> **Moeilijk verzekerbaar**
>
> **Een aantal beroepen is niet of moeilijk verzekerbaar. Denk hierbij aan een artiest, duiker en een beroepssporter. Ook zijn er beroepen waarvoor de maximale eindleeftijd 60 jaar is.**

4.2b Schuiven met de dekking

De meeste verzekeraars verzekeren een uitkering van maximaal 80% van het inkomen. Maar misschien heeft u zo veel niet nodig. Voor een lager verzekerd bedrag betaalt u evenredig minder premie.

Wie eerder wil stoppen met werken, kan kiezen voor een eindleeftijd van bijvoorbeeld 60 in plaats van 65. Dat scheelt gemiddeld 28% aan premie. Eerder stoppen is niet voor iedereen weggelegd, de verzekering moet dan langer doorlopen. Uit ons onderzoek uit 2013 bleek dat bij ongeveer de helft van de verzekeraars een maximale eindleeftijd van 65 gold. Vervelend als u tot uw 67[e] door moet werken. U mag ervan uitgaan dat op termijn alle verzekeraars een eindleeftijd van 67 jaar zullen aanbieden.

Bij de meeste aanbieders is de kortste wachttermijn 30 dagen. De eerste uitkering wordt dan uitbetaald na 30 dagen arbeidsongeschiktheid. Neemt u het eerste jaar zelf voor uw rekening, dan bespaart u gemiddeld 22% op de premie.

4.2c   Hoogte uitkering

De mate van arbeidsongeschiktheid bepaalt de hoogte van de uitkering die u krijgt. Geen enkele verzekering keert uit als u minder dan 25% arbeidsongeschikt bent. De meeste aanbieders gebruiken standaard de uitkeringsschaal in tabel 1. Bent u bijvoorbeeld voor 58% arbeidsongeschikt, dan ontvangt u jaarlijks een uitkering van 60% van de verzekerde som.

Bij Klaverblad is de uitkering gelijk aan het percentage arbeidsongeschiktheid. Bij de Achmea Groep (Avéro, Centraal Beheer, Interpolis en Zilveren Kruis) heeft de klant keus uit beide systemen. Het zevenklassensysteem is dan iets duurder.

Tabel 1   Uitkeringsschaal

Arbeidsongeschiktheid	Uitkering in procenten verzekerde jaarrente
0 tot 25%	Geen uitkering
25 tot 35%	30%
35 tot 45%	40%
45 tot 55%	50%
55 tot 65%	60%
65 tot 80%	75%
80 tot 100%	100%

Standaard begint de uitkering bij 25% arbeidsongeschiktheid. Kiest u voor een hogere drempel, dan levert dat premiekorting op. Bij een drempel van 80% bespaart u 30 tot 40% op de premie. Het is wel de vraag of dit verstandig is: u krijgt dan alleen een uitkering als u helemaal niet meer kunt werken.

4.2d   Arbeidsongeschiktheidscriterium

De meeste verzekeraars gaan uit van het criterium 'beroepsarbeidsongeschiktheid'. Een concertpianist die zijn wijsvinger verliest, is volledig arbeidsongeschikt. Hij kan zijn beroep niet meer uitoefenen. Hij krijgt dan een volledige uitkering.

Vaak is het ook mogelijk om te kiezen voor 'passende arbeid'. Dat scheelt gemiddeld 10% aan premie. Een concertpianist krijgt dan pas een uitkering als hij geen muziekleraar meer kan worden.

Vaak wordt ook 'gangbare arbeid' aangeboden, maar dat is niet onze eerste keus. Daarbij wordt een pianist zelfs niet arbeidsongeschikt verklaard als hij een herseninfarct heeft gehad. Hij kan immers nog altijd laaggeschoolde arbeid verrichten.

4.2e   Standaard- of combipolis?

De meeste verzekeraars bieden de keus tussen een AOV-Standaardpolis en een AOV-Combipolis. Bij de eerste vorm betaalt u, afgezien van de overeengekomen indexeringen, gedurende de hele looptijd van de verzekering een vaste premie. Bij de combipolis stijgt de premie elk jaar totdat ze een bepaald niveau heeft bereikt, bijvoorbeeld als ze gelijk is aan de overeenkomstige premie van de standaardpolis. Vanaf dat moment ligt de premie vast. Bij een andere vorm van de combipolis stijgt de premie zodra een leeftijdsblok van vijf jaar wordt overschreden. De grenzen liggen dan bij 25, 30, 35 en 40 jaar.

In het begin is de standaardpolis duurder dan de combipolis, maar later in de looptijd goedkoper. Het grote nadeel van de standaardpolis is het feit dat eerder stoppen met de verzekering (wat heel veel voorkomt, omdat bedrijven failliet gaan of zelfstandigen weer in loondienst gaan werken) geld kost. De opgebouwde premiereserve krijgt u namelijk niet terug. Ook is het overstappen naar een andere verzekeraar onaantrekkelijk. Ook bij een combipolis krijgt u de opgebouwde reserve niet terug, maar daar wordt veel minder premiereserve opgebouwd. Bij voortijdig stoppen bent u dus minder geld kwijt.

De meeste verzekeraars raden jonge verzekerden (jonger dan 40 jaar) aan een combipolis af te sluiten vanwege de lagere aanvangspremie en de grote flexibiliteit. Boven de 40 jaar ligt een standaardpolis meer voor de hand.

Enkele verzekeraars kennen een starterskorting. Andere verzekeraars werken met aanvangskortingen. De hoogte van de korting verschilt per verzekeraar. We troffen zowel een korting van 30 als een van 90% aan. Vaak wordt de korting over drie jaar uitgesmeerd. Laat u hierdoor niet het hoofd op hol brengen. Het zijn pure lokkertjes, meer niet.

Het is verstandig te kiezen voor een verzekering die waardevast is. Doet u dat niet, dan holt de inflatie de uitkering op termijn uit. Door de verzekering te indexeren, maakt u haar waardevast. Dat kan via een vast percentage van 1, 2, 3 of 4%, maar ook door haar te koppelen aan een indexcijfer van het Centraal Bureau voor de Statistiek. De mogelijkheden verschillen per aanbieder. Een goede indexering kost wel meer geld. Een verzekering waarvan zowel de verzekerde som als de uitkering jaarlijks met 3% stijgt, is over de hele looptijd gezien ongeveer twee keer zo duur als een niet-geïndexeerde polis.

4.2f Risicoklassen

Verzekeraars kijken bij het vaststellen van de premie naar het risico op arbeidsongeschiktheid dat het beroep met zich meebrengt. Meestal delen ze beroepen in vier risicoklassen in, waarbij klasse 1 het goedkoopst is en klasse 4 het duurst. In de laagste klasse zitten zelfstandigen met een beroep als arts, advocaat en accountant. In klasse 2 tref je beroepen aan als winkelier en verslaggever. In klasse 3 zitten de fysiotherapeut en de kleermaker. In de hoogste klasse zitten de fysiek zware beroepen als kapper, landbouwer en vrachtwagenchauffeur.

Tip

Vraag meerdere offerten aan

Elke verzekeraar heeft zijn eigen indeling. Het komt voor dat de ene verzekeraar een beroep in klasse 1 indeelt en de andere in klasse 3. Vooral bij een risicovoller beroep is het daarom verstandig om meerdere offerten op te vragen.

Risicoklasse 2 is gemiddeld 35% duurder dan klasse 1. In klasse 3 en 4 is het verschil ten opzichte van klasse 1 respectievelijk gemiddeld 70 en 112%.

Ook de opslagen verschillen per aanbieder. De ene verzekeraar is bijvoorbeeld relatief goedkoop voor klasse 1, maar relatief duur voor klasse 3; voor de andere geldt juist het omgekeerde.

Tip

Goed om te weten

- Een aantal verzekeraars verlaagt de uitkering als die hoger zou zijn dan 80% van het gemiddelde inkomen over de afgelopen drie jaar. Zeker voor een zelfstandige is dit een reëel risico. Dit systeem heeft daarom niet onze voorkeur.
- Een verzekeraar mag de verzekering nooit opzeggen omdat uw gezondheid achteruit is gegaan, ook niet op de contractvervaldatum.

- Alleen ziekten die objectief medisch vast zijn te stellen, vallen onder de dekking. Dat kan een probleem opleveren bij bijvoorbeeld een whiplash, bekkeninstabiliteit, vermoeidheidssyndromen, pijn-syndromen en fibromyalgie.
- De meeste verzekeraars splitsen de verzekering in twee rubrieken: rubriek A voor uikering gedurende het eerste jaar en rubriek B voor uitkering in de jaren daarna. De verzekerde som in het eerste jaar kan verschillen van die in de volgende jaren. Ook wordt het eerste jaar vrijwel altijd alleen gekeken of men in staat is het eigen beroep uit te oefenen. Na het eerste jaar zijn er wat dit betreft meer keuzemogelijkheden. U kunt er altijd voor kiezen alleen rubriek B te verzekeren. Alleen rubriek A is niet altijd mogelijk.
- De mate van arbeidsongeschiktheid wordt vastgesteld door een medisch deskundige van de verzekeraar. Wij vinden het belangrijk dat de verzekerde het recht heeft een contra-expertise te laten uit-voeren door een deskundige die hij zelf mag kiezen. Lang niet alle verzekeraars hebben dit recht in de polisvoorwaarden opgenomen.
- De UNIM AOV van Reaal richt zich vrijwel volledig op mensen met een beroep dat bij andere verzekeringen in de hoogste beroeps-klasse valt. Binnen deze categorie differentieert Reaal nog flink. Sla de voorwaarden er dus goed op na, voordat u overstapt.

4.2g   Premie

De hoogte van de premie bepaalt u grotendeels zelf, zoals u mede uit het voorgaande heeft kunnen opmaken. Deze wordt bepaald door:

- de hoogte van het verzekerde bedrag: hoe hoger het bedrag, hoe hoger de premie;
- de eindleeftijd: hoe hoger de eindleeftijd, hoe hoger de premie;
- de wachttermijn; hoe langer de wachttermijn (periode waarin de ver-zekeraar nog niets uitkeert), hoe lager de premie;
- percentage van arbeidsongeschiktheid waarbij u een uitkering ont-vangt: hoe hoger de drempel, hoe lager de premie;
- het arbeidsongeschiktheidscriterium;
- indexering van de verzekerde som en de uitkering.

Met al deze zaken moet u rekening houden als u een AOV afsluit.

4.2h Alternatieven

Als u een AOV te duur vindt of deze in uw geval niet meer interessant is vanwege de voorwaarden, is er goed nieuws: er komen steeds meer alternatieven voor de AOV.

Woonlastenverzekering

Deze verzekering is eigenlijk bedoeld voor huiseigenaren die in loondienst zijn, maar bij een aantal verzekeraars kunnen ook zelfstandigen deze afsluiten. De dekking is in grote lijnen gelijk aan die van een AOV. Het grote verschil is dat de woonlastenverzekering bij arbeidsongeschiktheid alleen de woonlasten dekt. En u moet natuurlijk ook nog kunnen eten. Alleen als u een partner heeft met voldoende inkomen om de andere uitgaven te bekostigen, volstaat de polis. Zie par. 4.3 voor meer informatie.

Vrijwillig in de Ziektewet en WIA

Een zelfstandig ondernemer kan in principe niet terugvallen op de Ziektewet of de WIA. Hierop zijn een aantal uitzonderingen. U kunt zich verzekeren via de Ziektewet en WIA als u:

- startende ondernemer bent;
- in Nederland woont en jonger bent dan 65;
- ten minste één jaar lang verplicht verzekerd bent geweest tegen ziekte en arbeidsongeschiktheid;
- zich na afloop van de verplichte verzekering of binnen 13 weken na de start van het bedrijf bij het UWV meldt.

Iedereen die aan deze criteria voldoet, kan zich vrijwillig verzekeren voor een uitkering via de WIA en Ziektewet. U bepaalt zelf de hoogte van het verzekerde bedrag, mits het niet hoger is dan het inkomen. Er geldt een maximumdagloon van €197. In 2014 zijn er 261 werkdagen. Het maximumjaarloon komt dus op €51.417. Daarvan krijgt u bij ziekte maximaal 70% uitgekeerd. U krijgt via deze verzekering dus niet meer dan €35.992 per jaar.

De exacte hoogte van de WIA-uitkering hangt af van de mate van arbeidsongeschiktheid, het arbeidsverleden en de mate waarin de resterende verdiencapaciteit benut wordt. De verzekering verschilt niet van die voor mensen in loondienst. De regeling is wel een stuk soberder dan die van de AOV – de laatste dekt veel meer.

De premie voor de WIA bedraagt 5,64% van het dagloon en die voor de Ziektewet 9,95%. In totaal dus 15,59% – veel meer dan de premie voor een gewone AOV. U heeft wel het voordeel dat u ook bij een simpel griepje een uitkering krijgt, maar daar betaalt u fors voor.

Al met al is de vrijwillige verzekering via de WIA en Ziektewet alleen te overwegen als u niet of niet tegen de gebruikelijke condities bij een gewone verzekeraar terechtkunt.

Broodfondsen

Een vrij nieuw fenomeen zijn de 'broodfondsen'. Bij een broodfonds spreekt een groep ondernemers (20 tot 50 deelnemers) af dat zij elkaar helpen als een van hen door ziekte of arbeidsongeschiktheid niet meer in staat is te werken. Iedereen schenkt die persoon jaarlijks een bedrag onder de schenkingsvrijstelling van €2092 (2014). Omdat het om een schenking onder de vrijstelling gaat, hoeft de ontvanger geen belasting over de uitkering te betalen. Daar staat tegenover dat de schenking niet fiscaal aftrekbaar is.

Op 1 juli 2014 waren er 103 broodfondsen verspreid over het hele land, met in totaal 3570 deelnemers. Daarnaast waren er zo'n 20 groepen in oprichting, aldus de oprichters van de BroodfondsMakers Coöperatie (www.broodfonds.nl). BroodfondsMakers Coöperatie adviseert en begeleidt bij het opstarten en draaien van broodfondsgroepen.

De meeste zijn divers van samenstelling, zowel wat betreft beroepsgroep als leeftijd. Er zijn bouwvakkers die meedoen, maar ook trainer/coaches of ondernemers in de zorg. De gemiddelde leeftijd ligt tussen de 40 en 45 jaar.

De ondersteuning vanuit het broodfonds duurt maximaal twee jaar. Via een broodfonds kun je namelijk alleen het risico van ziekte afdekken en niet dat van arbeidsongeschiktheid. Het aantal keuzemogelijkheden voor de hoogte van de uitkering verschilt per fonds. In de praktijk varieert de uitkering van €750 tot €3000 per maand.

Voor langdurige arbeidsongeschiktheid is een broodfonds dus geen oplossing. Eigenlijk heeft u hiernaast een AOV nodig met een wachttermijn van twee jaar. Wie zo'n polis niet kan afsluiten, heeft dus na twee jaar opnieuw een probleem.

Bij de toetreding tot een broodfonds en de hoogte van het bedrag dat de deelnemer inlegt, spelen leeftijd, beroep en gezondheid geen rol. Het risico bestaat natuurlijk dat relatief veel ouderen en zieken zich bij een broodfonds aansluiten.

Ziek melden gaat op basis van vertrouwen; er wordt van uitgegaan dat een zelfstandig ondernemer zich alleen bij uiterste nood ziek meldt. De sociale controle is dan ook groot.

De kosten voor een deelnemer zijn:

- een eenmalig instapbedrag van €275;
- een maandelijkse bijdrage van €10;
- een maandelijkse storting op een eigen broodfondsrekening. De hoogte hiervan verschilt per fonds;
- eventueel 1,2% vermogensrendementsheffing over het tegoed op de eigen broodfondsrekening op 1 januari van elk jaar.

Naast de broodfondsen zijn er andere alternatieven, waaronder *smartfunds*. Deze werken ongeveer volgens hetzelfde principe, maar de grootte van de groep is niet gemaximeerd. En een smartfund vertrouwt op juridische procedures, niet op sociale controle. Deze vorm van ondersteuning is nog in ontwikkeling.

Doen? Een broodfonds is de eerste keus voor mensen die bij een AOV-verzekeraar niet of niet tegen acceptabele voorwaarden en premie terecht kunnen. Ze hebben dan in ieder geval het ziekterisico in de eerste twee jaar afgedekt. De oudere zelfstandige met een (nagenoeg) hypotheekvrije woning krijgt dan de tijd om zijn huis te verkopen, omdat hij met de uitkering vanuit het broodfonds zijn inkomen kan aanvullen.

Een broodfonds is te combineren met een AOV met een wachttermijn van twee jaar. De eerste jaren zal dit alleen voor oudere zelfstandigen met een beroep in de hoogste risicoklasse voordeel opleveren. Als er een relatief laag beroep wordt gedaan op uitkeringen, kan een broodfonds in latere jaren ook gunstig uitpakken voor jongere zelfstandigen.

Uitgeklede polissen

Een laatste optie zijn de budget- en *critical illness*-verzekeringen. Dit zijn AOV's in een goedkope uitvoering. De dekking stelt dan ook erg weinig voor. Er is een budgetvariant waarbij de hoogte en/of de duur van de uitkering sterk is beperkt en een variant die heel veel uitsluitingen kent. Toezichthouder AFM sprak in 2011 een vernietigend oordeel uit over deze producten. Gelukkig biedt een groot aantal verzekeraars dit soort producten niet meer aan.

Bij een critical illness-verzekering krijg je alleen een uitkering als de arbeidsongeschiktheid het gevolg is van een expliciet omschreven ziekte. Dit biedt veel te weinig zekerheid. Over deze producten kunnen we kort zijn: hoe laag de premie ook is, sluit ze niet af. Het is weggegooid geld.

4.3 Woonlasten

Een woonlastenverzekering (ook wel 'betalingsbeschermingsverzekering' genoemd) garandeert de betaling van uw hypotheek als u daar niet meer toe in staat bent, bijvoorbeeld bij arbeidsongeschiktheid. Het inkomen daalt, maar de woonlasten niet. Een woonlastenverzekering voorkomt dat u dan moet verhuizen. Deze verzekering wordt vaak in combinatie met een hypotheek aangeboden.

U verzekert het bedrag dat u per maand nodig heeft voor de aflossing van de hypotheek. Dat hoeft niet per se het hele maandbedrag te zijn. Afhankelijk van uw financiële situatie bepaalt u welk bedrag u wilt verzekeren. Als u arbeidsongeschikt raakt, keert de verzekeraar het verzekerde bedrag maandelijks aan u uit. Dit doet hij gedurende een vooraf vastgesteld aantal jaren.

In het verleden hebben we woonlastenverzekeringen afgeraden omdat ze te duur waren en te weinig dekking boden. Op dat punt is veel verbeterd. De torenhoge provisies voor de tussenpersonen zijn uitgebannen, waardoor de premie meer dan gehalveerd is. Een te hoge premie is dus geen beletsel meer om zo'n verzekering af te sluiten.

! Betaling adviseur

Sinds 2013 mag een adviseur voor een woonlastenverzekering geen provisie meer ontvangen van de verzekeraar. U betaalt hem rechtstreeks. Vaak wordt deze verzekering samen met de hypotheek afgesloten. Het afsluiten van de woonlastenverzekering is dan weinig werk en de rekening van de adviseur moet dienovereenkomstig zijn. De AFM heeft beloofd hierop te letten.

4.3a   Voorwaarden woonlastenverzekering

Let op dat u geen dure verzekering afsluit waar u, als puntje bij paaltje komt, niets aan heeft. Waar moet u op letten?

Uitkeringsduur

Sommige verzekeringen hebben een korte uitkeringsduur. In onze ogen zijn dit soort verzekeringen uitstel van executie. Een hypotheek loopt doorgaans 30 jaar. Een betalingsbescherming van bijvoorbeeld vijf of tien jaar zet dan weinig zoden aan de dijk. Het argument dat 'de verzekerde dan de tijd heeft om orde op zaken te stellen', is voor ons niet overtuigend. Als u arbeidsongeschikt raakt, betaalt de werkgever doorgaans uw loon het eerste jaar voor 100% en het tweede voor 70% door. Pas daarna komen de WIA en een eventuele arbeidsongeschiktheidsverzekering om de hoek kijken. Volgens ons tijd genoeg om 'orde op zaken te stellen'.

Bij veel verzekeringen geldt een eigenrisicotermijn van een of twee jaar. Soms is een kortere termijn ook mogelijk. U kunt pas na afloop van die termijn aanspraak maken op de verzekering. Op zich zou dat geen probleem moeten zijn, aangezien uw werkgever uw loon de eerste twee jaar 70 tot 100% doorbetaalt.

Arbeidsongeschiktheidscriterium

Let ook op de arbeidsongeschiktheidscriteria. Bij een aantal verzekeraars kunt u als criterium kiezen 'gangbare arbeid' (het maakt niet uit wat voor werk, ongeacht uw achtergrond. Dit is hetzelfde als het criterium van de WIA), 'passende arbeid' (aansluitend aan uw opleiding en ervaring) en 'eigen beroep' (het vak dat u zelf uitoefent). Wij geven de voorkeur aan minimaal de mogelijkheid passende arbeid te verzekeren. Zie het kader 'Chirurg'.

Woonlastenverzekeringen die uitgaan van passende arbeid of eigen beroep, zijn duurder. Maar ze bieden zo veel meerwaarde dat hier onze voorkeur naar uitgaat. Gangbare arbeid is alleen een optie als u een laag inkomen heeft.

Uitsluitingen

Arbeidsongeschiktheid die het gevolg is van opzet of grove schuld van de verzekerde of van een bij de uitkering belanghebbende is altijd uitgesloten. Bij arbeidsongeschiktheid ten gevolge van oorlog, opstanden en dergelijke hoeft u ook bij geen enkele verzekeraar op een uitkering te rekenen. Hetzelfde geldt voor arbeidsongeschiktheid door al bestaande aandoeningen en ziekten.

Cosmetische ingrepen zijn altijd uitgesloten. Gaat er iets mis bij de ingreep, dan zijn de gevolgen bij de meeste verzekeraars wel gedekt.

De meeste verzekeraars verlangen dat de ziekte of aandoening medisch objectief aantoonbaar is. Dit houdt in dat arbeidsongeschiktheid ten gevolge van bekkeninstabiliteit, chronisch vermoeidheidssyndroom en whiplash zijn uitgesloten. Maar hier zijn enkele positieve uitzonderingen op.

Chirurg

Een chirurg die zijn vinger verliest, is voor 100% beroepsarbeidsongeschikt. Hij kan zijn vak niet meer uitoefenen. Maar als de verzekering op basis van passende arbeid is afgesloten, is er geen sprake van arbeidsongeschiktheid. Hij kan immers nog prima functioneren als bijvoorbeeld verzekeringsarts.

Zou deze chirurg echter door een herseninfarct een deel van zijn geestelijke vermogens zijn kwijtgeraakt, dan is hij ook volgens het criterium 'passende arbeid' arbeidsongeschikt. Is zijn verzekering afgesloten op basis van gangbare arbeid, dan is er opnieuw geen sprake van arbeidsongeschiktheid. Hij kan dan nog wel simpel werk uitvoeren en ontvangt niets van zijn woonlastenverzekering.

Checklist

Een goede woonlastenverzekering voldoet aan de volgende criteria:

- U kunt kiezen voor 'passende arbeid' of 'eigen beroep'.
- U kunt kiezen voor een verzekering die ook 100% uitkeert bij gedeeltelijke arbeidsongeschiktheid. Juist bij gedeeltelijke arbeidsongeschiktheid kunt u ernstig in de problemen raken.
- De verzekering is niet alleen beperkt tot objectief medisch aantoonbare aandoeningen of ziekten.
- Looptijd en maximale duur van de verzekering moeten overeenkomen met de periode waarin u financiële aanvulling nodig heeft. Dat is doorgaans tot uw pensioen en/of het einde van de looptijd van de hypotheek.
- U betaalt periodiek (per maand of per kwartaal bijvoorbeeld) premie. U kunt de verzekering stoppen wanneer u wilt.

4.3b Uw keus

Als u niet meer verdient dan zo'n €50.000 per jaar, voorziet de WIA in het (gedeeltelijk) doorbetalen van uw loon als u arbeidsongeschikt raakt. Er geldt een maximum voor het verzekerde loon (€51.751 bruto voor de tweede helft van 2014; wordt elke zes maanden aangepast). Mensen met een inkomen boven deze loongrens kunnen bij arbeidsongeschiktheid fors terugvallen, want het bedrag boven die grens wordt niet gecompenseerd. Veel werknemers hebben via hun werkgever een arbeidsongeschiktheidsverzekering lopen die voorziet in een aanvulling boven op de WIA-uitkering. Als u via uw werkgever een goede arbeidsongeschiktheidsverzekering (ook wel 'WGA-aanvullingspolis' of 'excedentenverzekering' genoemd) heeft, is een woonlastenverzekering niet nodig.

Ga na welke verzekering uw werkgever aanbiedt en welke dekking en voorwaarden deze kent. Er zijn enkele varianten mogelijk. De uitgebreidste bieden:

- aanvulling tot 70% van het maximumloon (€51.751);
- aanvulling tot 70% van het werkelijke salaris (boven maximumloon);
- aanvulling tot 80% van het werkelijke salaris (boven maximumloon).

Als uw maandlasten dusdanig hoog zijn dat u ze ondanks een aanvullende arbeidsongeschiktheidspolis niet kunt betalen, kan een woonlastendekking nuttig zijn. Kijk dus goed naar de voorwaarden van deze verzekeringen. Houd in uw achterhoofd dat uw werkgever verplicht is de eerste twee jaar ten minste 70% van het loon door te betalen. Voor deze eerste twee jaar is een woonlastenverzekering dus minder relevant. Ga verder voor uzelf na hoe groot de kans is dat u arbeidsongeschikt raakt. Loopt u veel risico's in uw werk? Bent u vaak op pad? Doet u fysiek zwaar werk? Leidt u een avontuurlijk leven? Zijn er bepaalde genetische afwijkingen in de familie? Misschien is de kans op arbeidsongeschiktheid helemaal niet zo groot. En als u een grote werkgever heeft, bijvoorbeeld de overheid, is de kans op herplaatsing bij gedeeltelijke arbeidsongeschiktheid veel groter dan wanneer u bij een klein bedrijf werkt.

Uw financiële weerbaarheid speelt ook mee in de afweging. Heeft u geld achter de hand of kunt u op uw partner terugvallen, dan is een woonlastenverzekering niet direct noodzakelijk. Maar als u net een duur huis heeft gekocht met een maximale hypotheek, heeft een inkomensterugval bij arbeidsongeschiktheid meteen consequenties.

174

Kortom: als u niet meer verdient dan de loongrens, een goede arbeidsongeschiktheidsverzekering heeft, geen zwaar of gevaarlijk beroep uitoefent, of financieel weerbaar bent, denk dan goed na over nut en noodzaak van een woonlastenverzekering. Zelfstandigen hebben niet genoeg aan een woonlastenverzekering (zie par. 4.2h).

> **!** **Check de dekking**
>
> Sluit nooit een woonlastenverzekering af zonder na te gaan of de verzekering voldoende dekking biedt. Met name de dekking tegen werkloosheid biedt geen oplossing voor de inkomensterugval. Ze keert namelijk niet lang genoeg uit. Het is slechts uitstel van executie.

4.4 Ongevallen

Een ongevallenverzekering behoort voor de meeste mensen niet tot de noodzakelijke verzekeringen omdat we in ons land al vrij veel voorzieningen hebben die dekking bieden tegen de financiële risico's die met een ongeval samenhangen. Heeft u of uw gezin volgens u toch behoefte aan extra inkomsten als een van de gezinsleden komt te overlijden of blijvend invalide raakt, dan komen eerder andere verzekeringen in aanmerking. We besteden toch aandacht aan deze verzekering, omdat relatief veel mensen haar afsluiten.

4.4a Verschillende soorten

Er zijn verschillende soorten ongevallenverzekeringen. De meestvoorkomende is de persoonlijke ongevallenverzekering. Daarmee krijgt u uitgekeerd als u blijvend invalide raakt of komt te overlijden door een ongeluk. U kunt vaak zelf de hoogte van het verzekerde bedrag bepalen. In de volgende paragrafen behandelen we met name deze verzekeringsvorm. Naast de persoonlijke ongevallenverzekering kunt u kiezen voor:

* de gezinsongevallenverzekering. Deze lijkt erg op de persoonlijke. Het voornaamste verschil is dat nu alle leden van een gezin onder de dekking vallen. U heeft de keus uit vaste pakketten of een beperkt aantal bedragen;
* de schoolongevallenverzekering. Speciaal voor schoolgaande kinde-

ren, vergoedt alleen kleine bedragen. Dit is in onze ogen een onzin-
verzekering;
- de ongevallenverzekering voor inzittenden (auto) of opzittende (motor), zie par. 3.1j;
- de ongevallendekking binnen een reisverzekering, zie par. 3.5d;
- de collectieve ongevallenverzekering voor werknemers. Deze wordt
door de werkgever voor (een deel van) het personeel afgesloten. Dit is
vooral van belang in sectoren waarbij een reëel risico bestaat op een
beroepsongeval.

4.4b   Dekking

De dekking van een ongevallenverzekering valt meestal in vier rubrieken
uiteen:
- rubriek A: overlijden;
- rubriek B: blijvende invaliditeit;
- rubriek C: tijdelijke arbeidsongeschiktheid;
- rubriek D: kosten van geneeskundige behandeling.

Bij sommige verzekeraars kunt u ook tandartskosten als gevolg van een
ongeval meeverzekeren.

Veel verzekerden beperken zich tot rubriek A en B. Dit zijn dan ook de
voornaamste onderdelen van de ongevallenverzekering.

U moet het onderscheid tussen rubriek B en C goed in de gaten houden. *Invaliditeit* betreft een handicap. U kunt bepaalde lichaamsdelen
niet meer gebruiken of bepaalde lichaamsfuncties functioneren niet
meer. Bij *arbeidsongeschiktheid* bent u niet in staat om te werken. Een
rechtsschrijvende advocaat die zijn linkerhand mist, is wel invalide, maar
niet arbeidsongeschikt. Ligt u op bed met een flinke griep, dan bent u
arbeidsongeschikt, maar niet invalide.

Bij overlijden wordt de verzekerde som uitgekeerd. Bij rubriek B wordt de
verzekerde som alleen uitgekeerd als u 100% invalide bent. Dat zal niet snel
het geval zijn. Bij gedeeltelijke invaliditeit wordt de mate daarvan doorgaans vastgesteld door middel van de Gliedertaxe. Lichaamsdelen worden
van tevoren gewaardeerd. Bij verlies van de pink wordt dan bijvoorbeeld
10% van de verzekerde som uitgekeerd, bij verlies van een arm 75% en bij
gezichtsverlies aan beide ogen het volledige bedrag. De Gliedertaxe is niet
uitputtend en bij de ene verzekeraar kan meer beschreven zijn dan bij

176

de andere. In de voorwaarden moet beschreven staan hoe de blijvende invaliditeit wordt vastgesteld voor zaken die niet in de Gliedertaxe staan. De verzekeraar zal alleen een bedrag voor geneeskundige kosten (rubriek D) uitbetalen als deze niet door een andere verzekering (met name de zorgverzekering) vergoed worden.

4.4c   Acceptatie

Meestal is de maximale acceptatieleeftijd voor de persoonlijke ongevallenverzekering 60 jaar, soms 50 of 55 jaar. Niet alle beroepen worden geaccepteerd. Verzekeraars houden niet van mensen met een gevaarlijk beroep, motorrijders of mensen die regelmatig houtbewerkingsmachines hanteren. Ze worden óf niet geaccepteerd óf betalen een premieopslag. Risicovolle sporten zijn vaak uitgesloten.

Fiscale gevolgen

De premies voor rubriek A zijn niet fiscaal aftrekbaar. De eenmalige uitkering vormt geen belastbaar inkomen, maar valt wel in de nalatenschap. In principe moeten de erfgenamen hierover erfbelasting betalen.

Bij rubriek B is er meestal sprake van een eenmalige uitkering. In dat geval zijn de premies niet fiscaal aftrekbaar en de uitkeringen onbelast. Als rubriek B een periodieke uitkering kent, mag u de premies wel aftrekken. De uitkeringen vormen dan belastbaar inkomen. Dat geldt ook voor de premies en uitkeringen van rubriek C. Bij rubriek D speelt de fiscus geen rol.

4.4d   Uw keus

Het grote nadeel van een ongevallenverzekering is dat zij alleen dekking biedt als een verzekerde overlijdt of blijvend invalide raakt ten gevolge van een ongeval. Maar de meeste mensen worden blijvend invalide of overlijden als gevolg van een ziekte. De veel uitgebreidere dekking van een overlijdensrisicoverzekering of een arbeidsongeschiktheidsverzekering ligt dan meer voor de hand. Deze zijn wel een stuk duurder dan een ongevallenverzekering, maar ze bieden dus ook veel meer dekking.

De meeste kans op een ongeval hebben doe-het-zelvers en mensen die regelmatig sporten, motorrijden of een risicovol beroep uitoefenen. Voor al deze mensen is een ongevallenverzekering wellicht wel een reële optie. Natuurlijk moet u zo'n verzekering wel afsluiten bij een maatschappij die het specifieke risico zonder premietoeslag accepteert.

4.5 Uitvaart

Een eenvoudige uitvaart kost al snel €7000. Voor wie onvoldoende spaar-geld heeft, is een uitvaartverzekering geen overbodige luxe. Sterker nog: bij de huidige lage rente op de spaarrekening wint de uitvaartverzekering het qua rendement al snel van sparen. Maar juist ook voor degenen die wel voldoende hebben gespaard voor hun uitvaart, is het rendement van verzekeren groter. Zie het kader 'Beter dan spaarrekening'.

In een test van de Consumentenbond (*Consumentengids* februari 2014) springen vooral Dela, PC Hooft en Klaverblad er positief uit. Het rende-ment op hun uitvaartverzekering ligt boven de 3%.

Er is één nadeel: de spaarrenten gaan de komende jaren misschien weer omhoog, maar de premie voor de verzekering gaat niet omlaag.

Tip

Beter dan spaarrekening

Wie meer dan €21.139 (fiscale partners €42.278) heeft gespaard, houdt nauwelijks iets over van de spaarrente, omdat hij jaarlijks 1,2% vermogensrendementsheffing moet betalen. Spaar je via een uitvaart-verzekering voor je begrafenis of crematie, dan is per verzekerde een bedrag van €6859 (2014) vrijgesteld. Daarom levert in 2014 vrijwel elke uitvaartverzekering meer op dan een spaarrekening.

4.5a   Soort verzekering kiezen

Er zijn drie soorten uitvaartverzekeringen: een naturapakket-, een na-turabedrag- en een sommenverzekering.

Naturapakketverzekering

Wie niet per se zelf de uitvaartverzorger wil kiezen, is goed af met een naturapakketverzekering. Daarbij krijgen uw nabestaanden geen geld, maar levert de verzekeraar alle diensten die in het pakket zijn opgeno-men. Dit betekent helaas niet dat nabestaanden hun beurs niet meer hoeven te trekken: diverse kosten, zoals een grafsteen en bloemen op de kist, zijn niet inbegrepen. Omdat een naturapakketverzekering lang niet alle kosten dekt, is het gebruikelijk daarnaast een naturabedrag- of sommenverzekering af te sluiten (zie hierna).

Een lastige post vormen de grafkosten: de kosten voor het grafdelven, begraven en de grafrechten. Die verschillen per begraafplaats. Dela vergoedt ze op voorwaarde dat er sprake is van een door Dela geselecteerd graf in de woonplaats. Datzelfde geldt bij PC Hooft voor een graf op een van zijn begraafplaatsen. Bij Ardanta en Monuta zijn de grafkosten niet in het pakket opgenomen; deze verzekeraars keren een vast bedrag uit. Nuvema maakt de verzekering op maat. De kosten van de gekozen uitvaartondernemer en begraafplaats worden jaarlijks in de polis bijgehouden. Aan dit maatwerk hangt wel een prijskaartje: het standaardproduct van Nuvema is het duurste uit ons onderzoek.

Een uitvaart kan zo eenvoudig of uitgebreid zijn als u maar wilt. Meer tijd in de aula of koffiekamer, meerdere volgauto's, een grafsteen: alles kan, als u maar betaalt. Ook kunnen bepaalde diensten uit het pakket geruild worden. Dit kan bij het regelen van de uitvaart gebeuren en hoeft niet van tevoren vastgelegd te worden.

Met een naturapakketverzekering lijkt alles in kannen en kruiken. De nabestaanden bellen een uitvaartondernemer en die regelt alles. Maar zo simpel is het niet, want de keus van uitvaartverzorger is niet bij alle verzekeraars vrij. Dit geldt vooral voor de naturapakketverzekering van Dela, Monuta en PC Hooft. Gaan de nabestaanden in zee met een niet-geselecteerde uitvaartverzorger, dan krijgen zij een bedrag uitgekeerd. Daarvan kunnen ze de uitvaart niet betalen. Dela keert slechts €3141 uit, PC Hooft €2948 (bedragen 2014), bij Monuta wordt een korting van maximaal 25% op de uitkering toegepast.

Naturabedrag- of sommenverzekering

Wie speciale wensen heeft en daar extra geld voor wil reserveren of zijn nabestaanden de vrije keus wil geven, sluit een naturabedrag- of sommenverzekering af. Deze verzekeringen keren bij overlijden een afgesproken bedrag uit.

Bij de naturabedragverzekering betaalt de verzekeraar de uitgaven voor begrafenis, crematie, grafsteen en dergelijke. De kosten tot de verzekerde som worden vergoed.

De sommenverzekering keert na uw overlijden de verzekerde som uit. Uw nabestaanden zijn volledig vrij waar ze het geld aan uitgeven. Ze kunnen er ook van op vakantie gaan.

Waardevast?

Als de uitvaartkosten in het huidige tempo met ruim 3% per jaar blijven stijgen, kost een gemiddelde uitvaart over 40 jaar bijna €24.000. Het aanpassen van het verzekerde bedrag aan de stijgende kosten, indexering, is dan ook een onmisbaar onderdeel van een goede uitvaartverzekering.

De meeste verzekeraars bieden de keus te indexeren, bij een enkele is dit standaard het geval. Er zijn ook verzekeraars waarbij u van tijd tot tijd zelf het verzekerde bedrag moet verhogen of een nieuwe verzekering moet afsluiten. Dat kan problematisch zijn voor wie intussen een slechtere gezondheid heeft. Een naturapakketverzekering is per definitie geïndexeerd.

Duur premiebetaling

U heeft bij de meeste verzekeraars een ruime keus wat betreft de duur van de premiebetaling. Die loopt uiteen van het storten van een eenmalige koopsom tot levenslange premiebetaling. U kunt ook premies betalen gedurende een aantal jaren of tot een bepaalde leeftijd. Na afloop van de overeengekomen periode van premiebetaling bent u bij de meeste verzekeraars van uw financiële verplichtingen ontslagen.

Doorgaans heeft u de keus uit betaling per maand, kwartaal, halfjaar of jaar. Bij betaling per maand bent u relatief iets meer premie kwijt dan bij betaling per jaar.

Afkoop is ongunstig

Bij een aantal uitvaartverzekeraars kunt u de verzekering ook afkopen. Daarover kunnen we kort zijn: niet doen. Een uitvaartverzekering levert slechts een schamele afkoopsom op. Is de premie niet meer op te brengen, dan behoort premievrij maken ook tot de mogelijkheden. Bij overlijden ontvangen de nabestaanden dan een lagere uitkering.

4.5b   Uw keus

Staar u niet blind op de hoogte van de premie. Een lage premie wil niet zeggen dat de verzekeraar voordelig is. Zie het kader 'Premie'. Vergelijken is voor consumenten helaas niet makkelijk.

Gelukkig zijn de uitkomsten van ons onderzoek heel eenduidig. Wie geen keuzevrijheid wil in uitvaartondernemer en het prima vindt dat de uitvaart wordt verzorgd door Dela of PC Hooft, is het best af met een naturapakketverzekering van deze twee aanbieders – eventueel aangevuld met een sommenverzekering.

Wilt u meer vrijheid, dan is de sommenverzekering van Klaverblad heel aantrekkelijk. Het rendement van Dela is ongeveer even hoog, maar hier bent u afhankelijk van een winstdeling. Bij Klaverblad ligt het rendement vast.

Voor alle duidelijkheid: dit is de stand van zaken begin 2014.

Premie

Bij Klaverblad betaalt een 30-jarige man voor een verzekerde som van €7000 een koopsom van €3548. Bij Monuta is dat slechts €2342. Toch is hij voordeliger uit bij Klaverblad, want daar stijgt de verzekerde som elk jaar met 2%, terwijl Monuta blijft steken op €7000.

Wanneer diezelfde man een waardevaste verzekering van €7000 afsluit bij ABN Amro, betaalt hij 20 jaar lang maandelijks €46,63 aan premie. Bij Ardanta is hij slechts €14,19 kwijt. Toch is de verzekering van ABN Amro voordeliger. Hoewel de premie niet omhooggaat, stijgt de verzekerde som elk jaar met 3%. Bij Ardanta blijft de verzekerde som gelijk.

4.5c   Alternatieven

Als u geen uitvaartverzekering af wilt sluiten, zijn er diverse alternatieven. U kunt zelf geld opzij zetten op een spaarrekening, maar, zoals gezegd is het rendement daarvan momenteel lager dan dat van een uitvaartverzekering.

Bent u in loondienst? Uw nabestaanden krijgen dan bij uw overlijden van de werkgever een belasting- en premievrije overlijdensuitkering van maximaal drie maandsalarissen. Bij een maandsalaris van €3000 kunnen uw nabestaanden u daarmee een luxe en volledig individueel ingerichte uitvaart geven.

Uw uitvaart kan ook uit andere bronnen worden bekostigd. Heeft u een overlijdensrisico- of kapitaalverzekering gesloten, dan komt bij uw overlijden doorgaans een groot bedrag vrij. Als dit bedrag niet nodig is voor de aflossing van een hypotheekschuld, kan hiermee een stijlvolle uitvaart worden bekostigd.

Tussenpersoon

Een uitvaartverzekering kunt u zelf afsluiten of via een tussenpersoon. Wie geen behoefte heeft aan advies, kan de polis bij de meeste verzekeraars rechtstreeks afsluiten. U betaalt altijd distributiekosten (uiteenlopend van €11 tot €175). Afhankelijk van de kosten die een tussenpersoon rekent, kan zijn hulp een goed alternatief zijn. Reken op bedragen tussen €100 en €400.

4.6 Rechtsbijstand

Als u schade lijdt door toedoen van een derde en hij wil de schade niet vergoeden, dan heeft u vaak behoefte aan rechtshulp. Een rechtsbijstandsverzekering biedt deze. De rechtshulp varieert van het geven van advies tot en met het voeren van een rechtszaak. De rechtsbijstandsverzekering vergoedt dus in principe niet in geld, maar in diensten.

Het begrip 'schade' in de rechtsbijstandsverzekering is breed. Schade kan ook ontstaan door verkeerde adviezen of een onjuiste hantering van regels.

Conflicten kunnen zich op verschillende terreinen voordoen. De verzekering bestaat daarom over het algemeen uit verschillende modulen, zoals werk, wonen en verkeer. U kunt kiezen voor een totaalpakket of voor onderdelen hiervan.

De meeste rechtsbijstandsverzekeringen gaan uit van een dekking voor het hele gezin, dus behalve voor de verzekeringnemer ook voor de partner en voor de ongehuwde kinderen. Zo'n 2,5 miljoen Nederlanders hebben een gezinsrechtsbijstandspolis. Hier zijn naast de gezinsleden vaak ook bijvoorbeeld inwonende schoonouders of de au pair op meeverzekerd.

4.6a Dekking

De meeste rechtsbijstandsverzekeringen bestaan uit verschillende modulen. U kunt kiezen voor het totaalpakket of alleen verzekeringen voor bepaalde modulen afsluiten. De beschikbare modulen zijn:

- *Verkeer*: voorvallen en conflicten waarbij u als verkeersdeelnemer betrokken bent.

- *Wonen*: problemen rond een huurwoning of een eigen woning, meestal vallen ook een vakantieverblijf voor eigen gebruik en de huurwoning van uw studerende kinderen hieronder.
- *Strafzaken*: bij beschuldiging van een strafbaar feit, behalve als er in de tenlastelegging sprake is van opzet.
- *Personen- en familierecht*: geschillen over nalatenschappen en adoptie. Echtscheiding en beëindiging van samenwonen, evenals de conflicten die daaruit voortkomen, worden niet gedekt. Wel bieden veel verzekeraars *mediation* aan bij echtscheiding.
- *Verhalen van schade*: als u of een van uw gezinsleden schade lijdt waarvoor iemand anders aansprakelijk is. De dekking wordt vrijwel altijd beperkt tot verhaal van schade. Als u zich wilt verweren tegen een schadeclaim van een ander, geeft de verzekeraar u in de meeste gevallen alleen juridisch advies.
- *Werk en inkomen*: problemen op het werk, zoals bij reorganisatie, overplaatsing en ontslag, evenals problemen met uitvoerders van sociale verzekeringen en conflicten over uw pensioen.
- *Contracten:* conflicten over overeenkomsten betreffende consumentenzaken.
- *Overheid*: persoonlijke geschillen met de overheid.
- *Fiscaal en vermogen*: rechtshulp bij fiscale zaken vanaf de beroepsfase. Ook rechtshulp bij vermogensbeheer kan onder de dekking vallen.

Wachttermijn

Al lopende en 'voorziene' geschillen zijn altijd uitgesloten van dekking. Een zwaar functioneringsgesprek of zwakke beoordeling kan voor de verzekeraar al reden zijn om een dreigend ontslag als 'voorzien' af te doen. Sommige verzekeraars hanteren wachttijden om discussies over voorzienbaarheid te voorkomen, vooral voor arbeidsgeschillen: vaak drie tot soms wel zes maanden! U heeft tijdens deze periode geen dekking voor dit specifieke onderdeel. Bij de meeste verzekeraars gelden wachttijden níet als de verzekering direct aansluit op een oude polis met vergelijkbare dekking.

4.6b Mening consumenten
Voor de gemiddelde rechtsbijstandspolis tel je jaarlijks zo'n €250 neer.

Daar mag u wel wat voor verwachten. We vroegen bijna 600 consumenten naar hun tevredenheid over de rechtshulp na een claim (zie de *Consumentengids* van mei 2014). De geënquêteerden waren niet onverdeeld enthousiast. Ze beloonden de dienstverlening van de vijf rechtshulpverleners die door de verzekeraars werden ingeschakeld gemiddeld met een 7,0.

De rechtsbijstandsverzekering werd het vaakst ingeschakeld voor een arbeidsconflict (eenderde van de ondervraagden), gevolgd door conflicten met leveranciers of dienstverleners en geschillen rondom wonen en verkeer. Andere kwesties varieerden van vliegvertraging tot schade door een politie-inval in de buurt. De schadebedragen liepen op tot €400.000.

Van de geënquêteerden had 14% de rechtsbijstandspolis inmiddels opgezegd, het merendeel uit ontevredenheid over de afhandeling van hun claim. Ook over de klachtafhandeling waren de consumenten niet erg enthousiast. Toch gaf 68% aan dat de verzekeraar aan de verwachting heeft voldaan, los van hoe hoog- of juist laaggespannen deze vooraf was.

Alleen advies

Eenderde van de verzekerden in ons onderzoek kreeg alleen advies van de rechtshulpverlener, wat voor de meeste afdoende was. Zo'n 20% beoordeelde het advies echter als 'slecht tot zeer slecht bruikbaar'. Deze verzekerden verwachtten meer actie, zoals u in het kader 'Geschept door auto' kunt lezen.

Geschept door auto

Als Dick Jurriaans in 2013 door een auto wordt geschept, ligt gelukkig alleen zijn fiets in de kreukels. De reparatienota van ruim €400 en de kosten voor een leenfiets worden naar de verzekeraar van de schuldige automobilist gestuurd. Als die slechts €165 wil uitkeren, schakelt Jurriaans zijn rechtsbijstandsverzekeraar in.

Tot zijn verbazing kiest deze de kant van de autoverzekeraar. 'Ik had kostenbesparend moeten optreden en kreeg verder geen hulp.' Omdat Jurriaans niet buiten zijn schuld om met kosten wil blijven zitten, schakelt hij het Kifid in. Hij krijgt alsnog gelijk en de €300 extra schadevergoeding. Zijn rechtsbijstandspolis zegt hij op.

Afgewezen of afgekocht

Bij 8% van de ondervraagden werd de claim afgewezen. Meestal omdat de verzekeraar geen kans van slagen zag, hij het financieel belang (schadebedrag) te laag vond of vanwege een te late melding van het geschil. Een afwijzing kan frustrerend zijn, zeker na jarenlange premiebetaling. De meeste geënquêteerden waren het dan ook niet eens met die afwijzing.

Een geschil wordt ook afgewezen wanneer er geen dekking is of een verzekerde de kwestie had kunnen voorzien. De ene verzekeraar is hierin soepeler dan de andere, zie het kader 'Dreigend ontslag'.

Als de kosten voor de procedure hoger worden ingeschat dan het schadebedrag, koopt een rechtsbijstandsverzekeraar een claim af. De tegenpartij is dan de lachende derde. Veel mensen zoeken niet alleen hun recht omdat ze een schadevergoeding willen, maar omdat ze zich onrechtvaardig behandeld voelen. Dat gevoel verdwijnt niet door afkoping van de claim. Lang niet alle verzekerden zijn dus blij met zo'n afkoop.

Dreigend ontslag

Janine Harshagen voelt een reorganisatie aankomen bij haar werkgever. Bij Das kan Harshagen niet terecht met dit 'voorziene' geschil, dus sluit ze een polis af met een wachttijd van drie maanden. Harshagen: 'Mijn baas wilde me na 14 jaar trouwe dienst afschepen met een fooi. Uiteindelijk kwam het tot een zaak en kreeg ik waar ik recht op had dankzij mijn verzekeraar.'

Beperkte vrije keus

Bij het merendeel van de ingediende claims (58%) werd juridische bijstand geboden. Dit was vaak interne hulp, dus door een jurist van de verzekeraar, en het verliep over het algemeen naar tevredenheid.

Voor sommige consumenten was het onduidelijk wanneer een verzekeraar een procedure inzet met een gespecialiseerde (externe) advocaat. Over het algemeen zal de verzekeraar altijd eerst andere, minder kostbare wegen bewandelen. Bij ruim een kwart van de verzekerden die juridische hulp kregen, was een (rechterlijke) procedure ingezet en bij ruim eenderde daarvan was een externe advocaat toegewezen, meestal geselecteerd door de verzekeraar.

Ontevreden?

Wie niet tevreden is over de voorgestelde aanpak van zijn claim, kan een beroep doen op de geschillenprocedure van de rechtsbijstandsverzekeraar. U heeft dan recht op een second opinion van een onafhankelijke derde. Bent u ontevreden over bijvoorbeeld de snelheid of inspanning van de verzekeraar, dan kunt u bij het Kifid aankloppen.

4.6c   Nuttig?

Is een rechtsbijstandsverzekering nuttig? Die vraag is lastig te beantwoorden, omdat de kans op een conflict moeilijk in te schatten is. Het hangt er ook van af hoeveel waarde u hecht aan gemak en zekerheid. Omstandigheden die de kans op een conflict vergroten, zijn bijvoorbeeld het hebben van een eigen woning, een (groot) gezin (gezinsleden zijn doorgaans meeverzekerd), regelmatig van baan wisselen of verhuizen en vaak op de weg zitten. In deze gevallen kan het (extra) zinvol zijn om een rechtsbijstandsverzekering af te sluiten. U bent hiermee al snel goedkoper uit dan wanneer u zelf een advocaat moet inschakelen.

Als u in aanmerking komt voor gefinancierde rechtshulp, waarbij alleen een inkomensafhankelijke bijdrage wordt gevraagd, is een rechtsbijstandsverzekering overbodig. Zie het kader 'Gesubsidieerde rechtsbijstand'. Bedenk verder dat u, als u lid bent, bij specifieke problemen voor advies, bemiddeling en soms ook voor rechtsbijstand (tegen betaling) terechtkunt bij diverse organisaties, zoals de Vereniging Eigen Huis, ANWB, vakbonden en de Consumentenbond.

In veel branches kunnen conflicten eenvoudig en goedkoop worden uitgevochten voor een geschillencommissie.

Gesubsidieerde rechtsbijstand

Mensen met een laag inkomen – maximaal €25.600 per jaar als alleenstaande en gehuwd maximaal €36.100 – kunnen subsidie krijgen voor rechtsbijstand. Afhankelijk van de hoogte van uw inkomen betaalt u dan een eigen bijdrage in de kosten voor bemiddeling (via een mediator) of juridische bijstand door een advocaat. In de bovenste regionen is dat in 2014 zo'n €823 (een inkomen van €30.501 tot €36.100 als gehuwd stel), in de onderste regionen (een jaarinkomen tot en met €25.200) slechts €196. Hiervoor

186

wordt gekeken naar het fiscale jaarinkomen (inkomen en vermogen) van de laatste twee jaar vóór het huidige jaar.

U krijgt pas een advocaat of bemiddelaar toegewezen na beoordeling van de aanvraag. Daarbij wordt eerst gekeken of er geen andere opties zijn en of gesubsidieerde rechtsbijstand dus wel echt nodig is. Check de mogelijkheden via de Raad voor Rechtsbijstand (www.rvr.org).

4.6d Uw keus

Besluit u dat een rechtsbijstandsverzekering in uw geval nuttig is, dan kunt u op de site van de Consumentenbond rechtsbijstandsverzekeringen vergelijken. Zo kiest u makkelijk de verzekering die het beste past bij uw gezinssamenstelling en wensenpakket.

Ook onderstaande checklist helpt u bij uw keuze.

- *Noodzaak*: weeg de noodzaak van een rechtsbijstandspolis af. Voor kleine geschillen loont jarenlang premie betalen niet.
- *Overlap*: is er overlap met lopende verzekeringen? Bent u bijvoorbeeld verzekerd voor verkeersrechtsbijstand, dan is het niet nodig bij de autoverzekering een rechtsbijstandsdekking af te sluiten.
- *Dekking*: bepaal vooraf voor welke geschillen u in ieder geval verzekerd wilt zijn en kijk of die in het standaardpakket zitten. Soms moet u een aanvullende module afsluiten.
- *Uitsluitingen*: kijk goed in de voorwaarden welke geschillen zijn uitgesloten van dekking.
- *Verzekerden*: zijn inwonende familieleden of mede-inzittenden ook meeverzekerd (bij gezinspolissen is het antwoord op deze vraag vaak bevestigend)?
- *Wachttermijn*: is er een wachttermijn en, zo ja, hoelang is die? Soms is de wachttijd voor alle rechtsgebieden gelijk, soms verschilt die per rechtsgebied (zoals voor arbeidsgeschillen).
- *Dekkingsgebied*: in welke landen bent u wel en niet verzekerd? Soms verschilt dat per rechtsgebied of zelfs per geschil!
- *Verzekerde bedrag*: de kosten die de rechtshulpverlener buiten de deur maakt, zoals rechtbankkosten en kosten om een advocaat in te huren, zijn meestal niet onbeperkt gedekt. Het kostenmaximum verschilt per verzekering.

Rechtsbijstands verzekering vergelijker

Vergelijk, kies en bespaar

- *Opzeggen*: mag de verzekeraar de verzekering tussentijds opzeggen, bijvoorbeeld als u (te) vaak een claim indient? Dit staat vaak niet in de voorwaarden, dus vraag de verzekeraar hiernaar.
- *Franchise (minimale schadebedrag)*: hanteert de verzekeraar een drempelbedrag waaraan het geschil moet voldoen om in aanmerking te komen voor rechtshulp?
- *Eigen risico:* geldt er een eigen risico? Dit bedrag moet u zelf betalen wanneer u rechtshulp krijgt. De meeste verzekeraars hanteren geen standaard eigen risico.

Recht op een advocaat

Het Europese Hof van Justitie oordeelde eind vorig jaar dat rechtsbijstands-verzekerden altijd zelf een advocaat (of andere rechtshulpverlener) mogen kiezen bij een gerechtelijke of administratieve procedure. Ook als een advocaat niet verplicht is, zoals bij de kantonrechter. Dit arrest zou grote gevolgen kunnen hebben voor de betaalbaarheid van rechtsbijstandsverzekeringen. Er zal namelijk vaker een duurdere advocaat worden ingeschakeld.

Als reactie op dit arrest heeft een aantal rechtsbijstandsverzekeraars hoge drempels opgeworpen als de verzekerde zelf een advocaat kiest terwijl deze niet verplicht is. De maximale vergoeding wordt met tienduizenden euro's verminderd of er geldt opeens een eigen bijdrage. DAS vergoedt normaliter bijvoorbeeld tot €60.000 aan externe kosten, maar kiest een verzekerde zelf een advocaat terwijl die niet strikt noodzakelijk is, dan daalt de vergoeding tot maximaal €5000 en geldt voor consumenten een eigen risico van €250. De verwachting is dat ook de andere verzekeraars zullen volgen.

DIGITALE GELDZAKEN
REGEL ALLES HANDIG EN VEILIG ONLINE

Steeds meer geldzaken handelen we digitaal af, via pc, smartphone of tablet. Rekeningen betalen, sparen, spullen kopen, reizen boeken, verzekeringen afsluiten en ga zo maar door. Dit boek vertelt hoe je digitale geldzaken slim en veilig aanpakt, welke nuttige sites en apps er zijn en – heel belangrijk – hoe je voorkomt dat je privacy in gevaar komt.

1^e druk, oktober 2014
ISBN 978 90 5951 2917
184 pagina's

ledenprijs €17,50; niet-ledenprijs €22
e-book ledenprijs €12,99; niet-ledenprijs €15,99

Bestellen?
☎ 070 – 445 45 45
🖱 www.consumentenbond.nl/webwinkel

Verder lezen

Geld & recht

Belastingtips voor
   senioren
Bespaar geld!
Een goed pensioen
Mijn vermogen en
   de AWBZ
Samenwonen
Scheiden
Slim nalaten & schenken
Testament & overlijden
Tips & toeslagen

Gezondheid & voeding

Bewegen & fit blijven
Blijf gezond!
Eten & weten
Gezond eten voor
   senioren
Het juiste medicijn
Het Keuzedieet
Het Keuzedieet 2
Het Keuzedieet kookboek
Het praktische patiëntenboek
Zelf dokteren

Computer & internet

Gratis online software
Haal meer uit je tablet
Langer plezier van je pc
Online privacy & veiligheid
PC-EHBO
Welkom in de cloud

Diversen

1001 Reparaties in huis
Bespaar energie!
De mooiste Nederlandse
   steden
Groen leven
Lekker schoon!
Prettig blijven wonen
Testjaarboek 2014
Weg die vlek!
Zelf klussen – Hout & meubels
Zelf klussen – Keuken &
   badkamer

*Vrijwel alle uitgaven zijn
verkrijgbaar als paperback
en als e-book.*

Bestellen?

Leden van de Consumentenbond ontvangen korting op deze boeken.
U bestelt ze eenvoudig in onze webwinkel op
www.consumentenbond.nl/webwinkel. U kunt ook telefonisch
bestellen via onze afdeling Service en Advies: **(070) 445 45 45.**
Bent u lid? Houd dan uw lidmaatschapsnummer gereed. We zijn op
werkdagen van 8 tot 20 uur bereikbaar (vrijdag van 8 tot 17.30 uur).

Uw lidmaatschap biedt meer dan u denkt!

- U ontvangt de **Consumentengids** of een van onze andere gidsen, zowel in print als digitaal.
- Al onze uitgaven zijn 100% **onafhankelijk** en **advertentievrij**.
- U heeft 24 uur per dag toegang tot onze betrouwbare, **onlinetestinformatie** over meer dan 2000 producten en diensten.
- U kunt tot honderden euro's **besparen** op uw energierekening en zorgverzekering.
- U ontvangt 20-30% **korting** op boeken en e-books van de Consumentenbond.
- U ontvangt van onze afdeling Service & Advies **gratis advies** over aankoop, service, garantie en – heel handig – uw rechten.
- U weet altijd wat de **Beste Koop** is en kunt gratis gebruikmaken van de **Beste Koop-App**.
- U ontvangt gratis de Consumentengids Auto, **Minigidsen** en diverse handige **apps**.
- U ontvangt wekelijks onze gratis **nieuwsbrief**.
- U kunt deelnemen aan **testpanels**.
- De Consumentenbond stelt samen met vele branches algemene **voorwaarden** op, waarbij rechten en plichten tweezijdig eerlijk worden vastgelegd.

Een compleet en actueel overzicht van uw lidmaatschap vindt u op www.consumentenbond.nl/voordeel

---

Contact
Service & Advies: (070) 445 45 45
Internet: www.consumentenbond.nl
Contactformulier: www.consumentenbond.nl/contact

Voorwaarden lidmaatschap en abonnement
Kijk op www.consumentenbond.nl/algemenevoorwaarden

  Volg ons ook op
www.facebook.com/consumentenbond
www.youtube.com/consumentenbond
www.twitter.com/consumentenbond

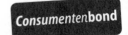